Collection **marabout service**

RENÉ DE PRINS

Le guide marabout de **la plongée sous-marine**

marabout

Toute reproduction d'un extrait quelconque de ce livre par quelque procédé que ce soit, et notamment par photocopie ou microfilm est interdite sans autorisation écrite de l'éditeur.

Les collections **marabout** sont éditées par la S.A. Les Nouvelles Éditions Marabout, 65, rue de Limbourg, B-4800 Verviers (Belgique). — Le label **marabout**, les titres des collections et la présentation des volumes sont déposés conformément à la loi. — Distributeurs en **France** : HACHETTE s.a., Avenue Gutenberg. Z.A. de Coignières-Maurepas, 78310 Maurepas, B.P. 154 — pour le **Canada** et les **États-Unis** : A.D.P. Inc. 955, rue Amherst, Montréal 132, P.Q. Canada — en **Suisse** : Office du Livre, 101, route de Villars, 1701 Fribourg.

Sommaire

Introduction

Après s'être fait dorer pendant plusieurs jours sur une plage inondée de soleil sous un ciel d'un bleu azur, en face d'une mer chaude et transparente, il arrive que le vacancier ait envie d'aller voir ce qui se passe dans cette eau si accueillante et mystérieuse à la fois. Alors, il s'en approche avec des yeux différents de ceux du baigneur et commence à vraiment regarder la mer.

Il découvre, émerveillé, du bord des rochers, un peu plus bas, à un mètre de fond environ, des oursins noirs aux épines acérées, broutant tranquillement de minuscules algues; des anémones multicolores, guettant leurs hypothétiques proies ou filtrant le plancton; des bancs de petits poissons allant et venant, ou des gros bondissant d'un trou dans un autre; quelques algues mystérieuses ondulant au gré d'un léger courant ou encore deux crabes aux pinces puissantes luttant pour un abri.

C'est à ce moment qu'il va avoir envie d'en savoir plus, que va naître pour ce monde quasi inconnu, mais fascinant, le coup de foudre, qui conduira peut-être au grand amour, à l'union, la fusion avec la mer qui habite tout plongeur, à un retour aux sources originelles de la vie.

Il s'achète alors un masque, instrument indispensable à

la vue et à la familiarisation avec ce monde nouveau; des palmes aussi, qui permettront d'avancer plus vite tout en se fatiguant moins. Et c'est ainsi plein de curiosité, muni d'un minimum d'éléments, que lui, terrien par excellence, va essayer de découvrir en s'y intégrant le domaine de Neptune. Ses premiers coups de palmes maladroits et éclaboussants éloigneront les habitants apeurés plutôt que de les rapprocher, l'eau entrera dans le masque mal serré ou celui-ci trop serré écrasera le visage, mais qu'à cela ne tienne, la vue d'une superbe étoile de mer cinq mètres plus bas dans un champ d'algues vertes lui rendra courage et lui fera oublier ses premiers petits déboires.

Continuant ainsi son exploration et, au gré de ses découvertes, il essayera une première fois, timidement, en prenant beaucoup d'air, de descendre un peu pour toucher ses découvertes du doigt ou de la main, avec une certaine angoisse tout de même. S'enhardissant, il plongera un peu plus bas; se sentant oppressé, il remontera en vitesse avec un besoin pressant d'air, se rendant compte que le corps est soumis à des lois importantes et que son immersion n'est pas si simple que cela.

Toujours sous le charme, il continuera, allant de la petite plage de sable blanc vers les champs de posidonies : ces grandes plantes vertes abritant de gros oursins mauves et blancs ainsi que des étoiles de mer et de gros coquillages jambons, qu'on appelle les nacres et qu'il apercevra furtivement. Ensuite il reviendra, longeant les rochers, inspectant tous les trous avec une certaine méfiance pour voir s'il ne découvre pas un poulpe ou une rascasse ou, pourquoi pas, un cheval marin, l'hippocampe : animal légendaire parmi tous, qui personnifie si bien la faune marine.

Finalement, lui, l'explorateur téméraire, risquant un énorme coup de soleil sur le dos, vaincu par le froid, reviendra sur la plage où ses proches l'attendent, plein de questions à la bouche.

Le lendemain et les jours suivants, si le dos le permet, après s'être acheté un tuba permettant au plongeur de rester plus longtemps dans l'eau pour ne rien perdre du spectacle, il continuera ses investigations qui l'amèneront à s'affranchir de plus en plus et à profiter de sa lune de miel jusqu'à la fin de son séjour.

Le jour du triste départ arrivé, c'est la mort dans l'âme et la larme à l'œil qu'il devra quitter son nouveau monde, non sans se jurer qu'il reviendra, mieux entraîné et mieux équipé.

Cette petite histoire nous montre une des motivations qui amènent l'individu à plonger : l'étincelle, le déclic et j'avoue qu'elle m'est arrivée. Mais il y en a beaucoup d'autres, comme l'attrait de l'inconnu, la découverte de la faune et la flore, le retour aux sources de la vie... La mer n'est-elle pas la grande matrice universelle d'où les êtres vivants sur la terre sont sortis avant leur évolution ? N'avons-nous pas tous passé plus ou moins les neuf premiers mois de notre vie entourés d'eau ? Ne sommes-nous pas faits de plus de 80 % d'eau ? La composition chimique de notre sang ne rappelle-t-elle pas un peu celle de l'eau de mer ?

Le dépassement de nous-mêmes, qui nous pousse par une auto-discipline importante à nous maîtriser dans cet élément, la peur aussi qui habite tous les êtres, qui nous tenaille, mais qui peut se vaincre en faisant appel à notre courage et à nos forces morales ; voilà quelques raisons. Mais chacun consciemment ou non, est poussé par les siennes propres. Celles-ci ont servi l'homme dans sa découverte de la mer, qu'il s'agisse aussi bien du scientifique, de l'explorateur creusant pour trouver du pétrole, de l'amateur plongeant pour son plaisir ou du pêcheur de perles.

Rentré chez lui et toujours sous le charme de ce début d'immersion sous la mer, notre ex-vacancier va vouloir en connaître plus. A cette fin, il va se renseigner et très vite se rendre compte que s'il veut poursuivre son exploration sous-marine il va devoir apprendre à découvrir ce milieu à la fois nouveau pour lui, étrange et fascinant.

Les données de vie qui y règnent sont soumises à des conditions totalement différentes de celles de la terre. Son corps va devoir apprendre à évoluer correctement dans ce nouveau milieu et se soumettre aux lois qui y ont cours. Enfin, s'il veut par la suite pousser ses investigations plus profondément et plus longuement il lui est nécessaire d'acquérir la technique d'une respiration sous l'eau à travers un appareil appelé scaphandre autonome.

En bref, il a tout à apprendre, car maintenant il en connaît un peu mais pas assez. Il doit élargir le champ de sa conscience, convenablement, harmonieusement. Pour cela, la rencontre d'autres êtres partageant ses recherches ne peut être que bénéfique. A leur contact il recevra une réponse à une bonne partie de ses questions et une initiation au développement de ses possibilités aquatiques latentes. Le reste, il le découvrira par lui-même au contact du milieu.

Connaissances pour la plongée

Le milieu aquatique

Dans le milieu aquatique, les conditions de vie sont très différentes de celles que nous connaissons dans l'atmosphère

Pénétration de la lumière dans l'eau

Lorsqu'elle pénètre dans l'eau, la lumière est soumise à plusieurs phénomènes dont les principaux sont :
— la réflection
— la réfraction
— l'absorption
— la diffusion

PENETRATION DE LA LUMIERE DANS L'EAU

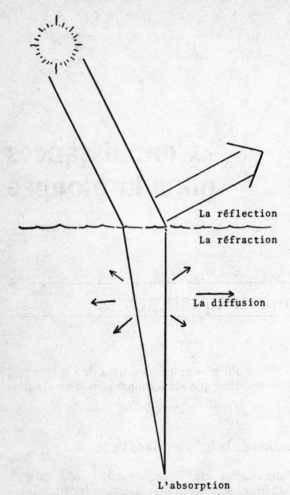

L'absorption

● **La réflexion** se dit de la partie du rayon lumineux qui en atteignant la surface de l'eau est réfléchie et qui de ce fait n'y entre pas. La partie du rayon lumineux qui pénètre dans l'eau y subit une déviation, et donne naissance au **phénomène de réfraction.** Un rayon lumineux passant de l'air dans l'eau est en effet dévié de sa trajectoire initiale. Il découle de ce phénomène que les objets que nous observons à travers le masque nous semblent agrandis d'1/3 et rapprochés d'1/3.

Exemple : le poisson qui mesure 30 cm de long, paraît pour le plongeur en mesurer quarante ; de même que le rocher qui en plongée nous paraît éloigné de trois mètres, l'est en réalité de quatre mètres.

DISTANCE ET GRANDEUR REELLE

DISTANCE ET GRANDEUR APPARENTE

Les objets ou poissons nous semblent agrandis d'1/3 et rapprochés d'1/3.

● **Le principe d'absorption** de la lumière dans l'eau est dû au fait que celle-ci agit comme une masse filtrante ; dès lors plus la profondeur est importante, plus la filtration du rayon lumineux est grande, avec les conséquences suivantes :
— à 10 m : disparition de la couleur rouge,
— à 30 m : disparition de la couleur jaune,
— à 50 m : tout devient bleu/vert,
— à 400 m : c'est le noir absolu.

● **La diffusion** résulte des particules en suspension dans l'eau qui agissent comme autant de petits centres dispersant la lumière ; ce qui nous donne des objets une vision plus ou moins floue.

La propagation du son dans l'eau

Dans l'air, le son se propage à la vitesse de 330 m/seconde ; dans l'eau, la vitesse du son est de 1 400 à 1 500 m/seconde. Dans ces conditions, notre appareil auditif ne peut plus localiser l'origine directionnelle des sons.

Les échanges de température

La température est très variable d'une mer à l'autre et dépend également de la profondeur. Il peut se former des couches ou des courants d'eau froide ou chaude.

La déperdition calorifique est plus grande dans l'eau que dans l'air, ce qui nous oblige généralement à plonger avec un costume pour nous protéger du froid.

La densité

La référence pour notre système de mesure de poids est le litre d'eau pure. Le litre d'eau pure pèse un kilo, le litre d'eau de mer est plus lourd, il varie cependant d'une mer à l'autre et peut avoir un poids allant de 1,020 à 1,030 kg. C'est le rapport de celui-ci avec le poids d'un litre d'eau pure qu'on appelle densité. Cette particularité procure d'ailleurs une meilleure flottabilité en mer qu'en eau douce.

Les pressions

Les pressions sont très importantes et doivent retenir toute notre attention, car elles sont la base même de la théorie de la plongée sous-marine. Il existe plusieurs types de pressions qui sont :
— la pression atmosphérique,
— la pression hydrostatique,
— la pression absolue,
— les pressions partielles.

● **La pression atmosphérique** est la pression exercée par la couche d'air entourant la terre, elle est principalement composée d'oxygène et d'azote.

Cet air qui a un certain poids exerce donc une pression sur la terre que l'on mesure à l'aide d'un **baromètre**. Nous dirons que notre corps subit de la part de cet air une pression égale à 1,033 kg/cm^2. Cette pression peut aussi se mesurer en atmosphères ou encore en bars ou millibars (1,033 kg/cm^2 = 1013 millibars), elle correspond également à 10 mètres de colonne d'eau sur 1 cm^2. Cependant pour la plongée sportive, nous employons le plus souvent l'expression 1 kg/cm^2.

Cette pression est celle qui règne au niveau de la mer, ainsi plus nous montons en altitude, plus elle diminue. C'est pourquoi il nous faut en tenir compte lors de plongées effectuées dans des eaux situées en altitude.

Exemple : à 5 000 mètres d'altitude, la pression atmosphérique n'est plus que de 0,500 kg/cm^2. Pour arriver à connaître approximativement la pression atmosphérique en altitude, il suffit de soustraire 0,100 kg/cm^2 par tranche de 1 000 mètres à la pression de 1 kg/cm^2.

● **La pression hydrostatique** est la pression exercée par l'eau elle-même. Elle va donc aller en augmentant au fur et à mesure que nous descendons, dans la proportion de 1 kg/cm^2 par tranche de 10 mètres de profondeur. Sans tenir compte de la pression atmosphérique nous aurons donc une pression égale à :
— 1 kg/cm^2 à — 10 m,
— 2 kg/cm^2 à — 20 m,
— 3 kg/cm^2 à — 30 m,
— 3,5 kg/cm^2 à — 35 m.
   Le **profondimètre** peut nous faire connaître cette pression : il suffit de lire sur celui-ci la profondeur atteinte, que nous divisons par 10, afin de connaître la pression hydrostatique. La seule pression hydrostatique, dans ce cas précis, s'appelle la pression relative.

● **La pression absolue** ou totale est l'addition de la pression atmosphérique avec la pression hydrostatique subie par le plongeur.

Exemple :
— P.H. = pression hydrostatique
— P.A. = pression atmosphérique
Nous aurons :
à – 10 m, 1 kg/cm^2 de P.H. + 1 kg/cm^2 de P.A. = 2 kg/cm^2,
à – 20 m, 2 kg/cm^2 de P.H. + 1 kg/cm^2 de P.A. = 3 kg/cm^2,
à – 30 m, 3 kg/cm^2 de P.H. + 1 kg/cm^2 de P.A. = 4 kg/cm^2,
à –35 m, 3,5 kg/cm^2 de P.H. + 1 kg/cm^2 de P.A. = 4,5 kg/cm^2.
C'est la pression absolue que nous prendrons comme base pour le calcul des différents volumes.

● **La pression partielle** est la pression d'un gaz au sein d'un mélange et est considérée comme la pression qu'aurait ce gaz s'il occupait seul le volume occupé par le mélange (voir la *Loi de Dalton*, p.27)

La somme des pressions partielles est toujours égale à la pression du mélange. Ce sont ces pressions partielles qui décideront de nos différentes possibilités de plongées. Ajoutons enfin que les corps solides et liquides sont incompressibles, tandis que les gaz sont compressibles.

Les lois théoriques de la plongée

La plongée sous-marine est un sport pour lequel l'étude de la théorie est importante. La connaissance et surtout la compréhension des bases élémentaires de celle-ci peuvent nous éviter bien des déboires ou désillusions, ainsi que de nombreux incidents qui se produisent souvent tout simplement par ignorance. Les lois ou principes que nous devons apprendre à respecter sont au nombre de cinq.

Le principe de Pascal

En tout point d'un fluide (gaz ou liquide) la pression s'exerce uniformément dans toutes les directions sur toutes les surfaces qui lui sont opposées.

Ce qui revient à dire que lorsque nous plongeons, la pression s'exerce en n'importe quel endroit de notre corps dans toutes les directions. Par le même principe,

l'air contenu dans les bouteilles de plongée exerce une
pression égale sur tous les points de cette bouteille.

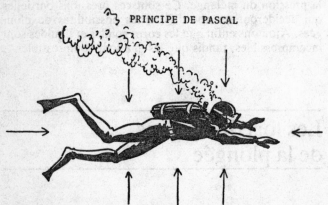

PRINCIPE DE PASCAL

La pression s'exerce uniformément dans toutes
les directions.

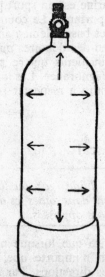

Le principe d'Archimède

Tout corps plongé dans un liquide subit de la part de celui-ci une poussée verticale dirigée du bas vers le haut égale au poids du volume du liquide déplacé.

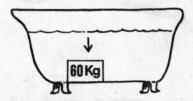

Volume du cube 50 litres
Poids du cube 60 kilos "il coule"
Donc poids apparent positif et flottabilité
négative

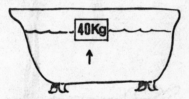

Volume du cube 50 litres
Poids du cube 40 kilos "il flotte"
Donc poids apparent négatif et flottabilité
positive

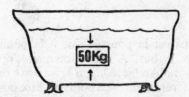

Volume du cube 50 litres
Poids du cube 50 kilos "il est en équilibre"
Donc poids apparent nul et flottabilité nulle.

TECHNIQUE D'IMMERSION DITE DU "CANARD"

Le poids d'un corps est la poussée due à la pesanteur allant du haut vers le bas. A cette pression, s'oppose dans l'eau la poussée d'Archimède qui agira donc du bas vers le haut. La différence entre ce poids et cette poussée s'appelle le **poids apparent.**

Comment peut être le poids apparent ? Il peut être soit positif soit négatif ou encore nul.

○ *Pour avoir un poids apparent positif,* il faut que la poussée d'Archimède soit plus petite que le poids réel.
Exemple : un objet d'un volume égal à cinquante litres et pesant soixante kilos va couler. On dira aussi qu'il a une flottabilité négative.

○ *Pour avoir un poids apparent négatif,* il faut que la poussée d'Archimède soit plus grande que le poids réel.
Exemple : un objet d'un volume égal à cinquante litres et pesant quarante kilos va flotter. On dira donc qu'il a une flottabilité positive.

○ *Pour avoir un poids apparent nul,* il faut que la poussée d'Archimède soit égale au poids réel.
Exemple : un objet d'un volume de cinquante litres et pesant cinquante kilos ne coule pas et ne flotte pas. Il aura une flottabilité nulle.

C'est pour modifier ce poids apparent que le plongeur utilise une ceinture munie de plombs, afin de vaincre avec plus de facilité cette poussée d'Archimède.

Pour la même raison, pour rendre son immersion plus aisée, il fait ce que l'on appelle un canard : cette méthode consiste à plier le corps à angle droit au niveau de l'abdomen, et dans la suite du mouvement à ramener les jambes dans l'axe du tronc et de la tête, afin de bénéficier du poids de celle-ci, ce qui lui facilitera la pénétration dans l'eau.

Loi de Boyle et Mariotte

A température constante, le volume d'un gaz est inversément proportionnel à la pression qu'il subit.

Si la pression exercée sur un gaz est multipliée par 2, 3, 4 et au-delà, le volume de celui-ci diminuera proportionnellement du même nombre.

Comme le montre la figure ci-après, si nous prenons un ballon contenant un litre d'air à la surface et que nous

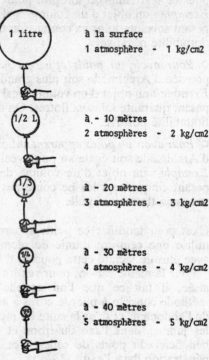

Loi de Boyle Mariotte

Le volume est proportionnel à la pression

1 litre	à la surface	1 atmosphère - 1 kg/cm2
1/2 L	à - 10 mètres	2 atmosphères - 2 kg/cm2
1/3 L	à - 20 mètres	3 atmosphères - 3 kg/cm2
1/4	à - 30 mètres	4 atmosphères - 4 kg/cm2
	à - 40 mètres	5 atmosphères - 5 kg/cm2

l'immergeons, par l'augmentation des pressions (voir chapitre sur les pressions) le volume de ce ballon diminuera dans la même proportion que l'augmentation de la pression. Ce principe est également valable dans l'autre sens car si nous descendons à quarante mètres et que nous y gonflons notre ballon jusqu'à ce qu'il atteigne le volume d'un litre et qu'ensuite nous remontons vers la surface, le volume de ce ballon augmentera au fur et à mesure que la pression diminuera; ainsi lorsque nous serons à la surface, ce ballon aura atteint un volume de cinq litres.

Il faut retenir que le produit de la pression multiplié par le volume donne toujours un nombre constant.

● **Applications principales de la loi de Boyle et Mariotte**

1 — Comme elle soumet le corps du plongeur à de grandes variations de volume et de pression, il est d'une importance capitale de maintenir, à tout moment de la plongée, un équilibre parfait entre les pressions internes du corps et les pressions externes du milieu ambiant.

2 — Concernant le matériel : à l'aide d'un compresseur on emmagasine dans une bouteille de plongée d'un volume réduit, plusieurs milliers de litres d'air.

Il est très facile de calculer la capacité d'air d'une bouteille car il suffit de multiplier son volume interne par sa pression de gonflage, indiquée à la lecture d'un manomètre de vérification.

Exemple : une bouteille d'un volume de dix litres gonflée à une pression de deux cents kilos par cm^2 contiendra $10 \times 200 = 2\,000$ litres d'air. Toutefois, il faut aussi tenir compte des variations de température qui peuvent augmenter ce volume ou le diminuer.

3 — Au sujet de la consommation d'air du plongeur : la durée d'utilisation des bouteilles varie suivant leur capacité et la profondeur de la plongée.

Pour prévoir un temps de plongée à une profondeur donnée, on se base sur une consommation moyenne de vingt litres par minute à 1 atmosphère ou 1 kg/cm^2 qui, comme nous l'avons vu, est la pression qui règne au niveau moyen de la surface des mers du globe. Puis, cette consommation est multipliée par la valeur de la pression absolue (voir chapitre sur les pressions). *Exemple :* à 10 m, $20\,l \times 2 = 40$ l/minute ; à 40 m, $20\,l \times 5 = 100$ l/ minute.

Par conséquent, plus importante est la profondeur, plus importante est la consommation d'air ; ce qui entraîne une diminution du temps de plongée. *Exemple :* une bouteille de dix litres glonflée à une pression de deux cents kilos/cm^2 donne deux mille litres d'air soit un temps d'utilisation de :

— à la surface, $2\,000 : 20 = 100$ minutes
— à 10 m, $2\,000 : 40 = 50$ minutes,

— à 40 m, 2 000 : 100 = 20 minutes.

Le nombre de minutes à une profondeur donnée ne tient compte ni du temps de descente ni du temps de remontée.

○ *Remarque :* le simple fait de descendre à dix mètres, qui semble pourtant une faible profondeur, diminue notre temps d'utilisation d'air **de moitié.** Notons aussi qu'à volume égal le poids d'un litre d'air à la surface est de 1,293 gr.; qu'à 10 m il est de 1,293 x 2 = 2,586 gr; qu'à 40 m il est de 1,293 x 5 = 6,465 gr. Donc, plus nous descendons profondément plus l'air que nous respirons est dense et par conséquent circule moins bien dans notre organisme.

Mais nous devons également tenir compte de ce fait pour notre lestage car le poids de l'air dans notre bouteille, qui est, au départ, de 2 000 x 1,293 g = 2 586 gr soit 2,586 kg, diminue progressivement au cours de la plongée puisque consommé d'où danger de sous-lestage à l'arrivée, avec des conséquences de flottabilité trop positive et des difficultés aux paliers. (Voir le principe d'Archimède).

4 — De cette loi également découlent quelques petits problèmes physiologiques : lorsque nous nous immergeons, nous devons équilibrer nos oreilles; pour cela nous avons la possibilité soit de déglutir, soit de pratiquer la **manœuvre de Valsalva.** Cette manœuvre consiste à souffler dans les voies nasales, le nez bouché. C'est pour faciliter cette manœuvre que les masques de plongée ont soit un nez indépendant soit une cavité de chaque côté de celui-ci afin de pouvoir le pincer à l'aide des doigts (voir matériel, p.108).

Une fois de plus, il est très important de parvenir à établir un équilibre entre la pression interne et la pression ambiante car si la pression extérieure allait en augmentant, cela nous conduirait à une déformation du tympan pouvant aller jusqu'à la rupture de celui-ci.

Un autre phénomène que nous rencontrons lors de l'immersion est ce que l'on appelle le **placage du masque :** lors de la descente, l'air contenu dans le masque est en dépression par rapport à la pression ambiante et crée de ce fait le placage de celui-ci sur le visage.

Les autres cavités aériennes sont les sinus frontaux, les maxillaires, et les ethmoïdaux, cavités pour lesquelles le plongeur ne peut pas intervenir pour y rétablir l'équilibre si celui-ci ne se fait pas automatiquement.

● Il existe de nombreuses **autres applications à la plongée** de cette loi de Boyle et Mariotte. Nous y reviendrons. Voici une liste des domaines de ces applications :
— le remplissage des bouteilles de plongée,
— l'équilibrage des voies aériennes,
— le placage du masque,
— le gilet de sécurité,
— le costume de plongée,
— les coliques du plongeur,
— la surpression pulmonaire,
— l'accident de décompression,
— les douleurs dentaires,
— la consommation d'air,
— les travaux de renflouement sous-marin.

Plusieurs de ces applications sont également en relation directe avec le principe d'Archimède.

Loi de Henry

A température constante et à saturation, la quantité d'un gaz donné, dissous dans un liquide donné, est proportionnelle à la pression exercée par ce gaz en contact avec le liquide.

Cette loi exprime que lorsqu'un gaz est en contact avec un liquide, celui-ci va absorber le gaz.

○ *Exemple :* le sang et les tissus du corps humain vont absorber l'oxygène, l'azote et le gaz carbonique jusqu'à ce qu'ils atteignent l'état de saturation. L'état de saturation est l'équilibre entre la pression du gaz exercée à la

Loi de Henry

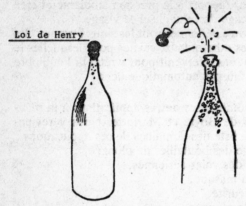

La bouteille étant ouverte, le gaz contenu sous pression
dans le liquide s'échappe sous forme de bulles de manière
brutale pour cause de différence de pressions.

surface du liquide et celle du gaz absorbé par ce même
liquide.

Un liquide sous-saturé ou sursaturé cherche toujours
la saturation. C'est pourquoi lorsque nous plongeons
nous «devenons» en état de sous-saturation parce que la
pression ambiante étant plus grande, les liquides et tissus
de notre corps peuvent absorber plus de gaz qu'ils n'en
avaient à la surface, et il nous faudra un certain laps de
temps avant d'atteindre cet équilibre qu'est la saturation.

A l'inverse, lorsque nous remontons de notre plongée,
nous sommes dans un état de sursaturation puisqu'il y a
baisse de pression, c'est-à-dire que pour arriver à saturation nos tissus et liquides rejetteront sous la forme de
«bulles gazeuses» les excédents de gaz qui ont été dissous à une profondeur plus grande.

Il est très important que ce rejet se fasse lentement et
progressivement afin d'éviter ce qu'on appelle l'accident
de **décompression**.

La loi de Dalton

A température donnée, la pression d'un mélange est égale à la somme des pressions qu'aurait chaque gaz s'il occupait seul le volume total. En particulier, lorsqu'un mélange de gaz est en contact avec un liquide, chaque gaz se comporte vis-à-vis de celui-ci comme s'il était seul (voir loi de Henry).

Que signifie cette loi et quelles sont ses conséquences pour le plongeur sous-marin ?

Pour bien la comprendre il faut savoir que l'air que nous respirons se compose de 20,93 % d'oxygène (02) de 79,03 % d'azote (N2) de 0,03 % de gaz carbonique (CO2) et de traces de gaz rares comme l'hélium, l'argon etc. Cependant dans le cadre de la plongée sportive nous simplifions ces pourcentages et considérons que l'air se compose de 20 % d'oxygène et de 80 % d'azote. Ainsi ces pourcentages arrondis serviront de base pour nos calculs.

L'oxygène, l'azote et le gaz carbonique sous pression influencent directement notre organisme pouvant même provoquer parfois différentes intoxications dangereuses. C'est pourquoi le calcul des pressions partielles des différents gaz est important, car il permet de connaître les seuils de toxicité de ces gaz, par exemple lors de plongée en mélange respiratoire autre que celui oxygène-azote.

C'est également grâce à ces calculs de pression partielle qu'ont pu être élaborées les tables de plongée.

- Les **domaines d'application** de cette loi sont :
— les tables de plongée,
— les accidents dus à la toxicité des gaz,
— l'adaptation des tables lors de plongée en altitude,
— les mélanges respiratoires,
— l'oxygénothérapie hyperbare.

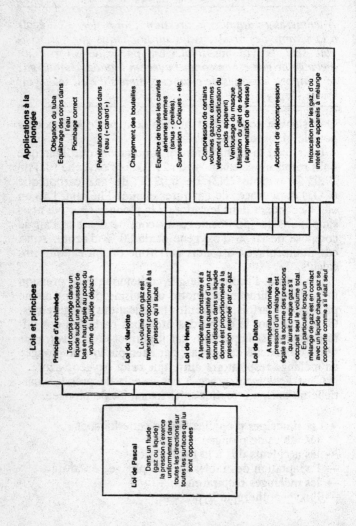

Applications à la plongée

Obligation du tuba
Equilibrage des corps dans l'eau
Plombage correct

Pénétration des corps dans l'eau (« canard »)

Chargement des bouteilles

Equilibre de toutes les cavités aériennes internes (sinus - oreilles).
Surpression - Coliques - etc.

Compression de certains volumes gazeux externes vêtement (d'où modification du poids apparent)
Ventousage du masque
Utilisation du gilet de sécurité (augmentation de vitesse)

Accident de décompression

Intoxication par les gaz d'où intérêt des appareils à mélange

Lois et principes

Principe d'Archimède

Tout corps plongé dans un liquide subit une poussée de bas en haut égale au poids du volume du liquide déplacé

Loi de Mariotte

Le volume d'un gaz est inversement proportionnel à la pression qu'il subit

Loi de Henry

A température constante et à saturation la quantité d'un gaz donné dissous dans un liquide donné est proportionnelle à la pression exercée par ce gaz

Loi de Dalton

A température donnée la pression d'un mélange est égale à la somme des pressions qu'aurait chaque gaz s'il occupait seul le volume total
En particulier lorsqu'un mélange de gaz est en contact avec un liquide chaque gaz se comporte comme s'il était seul

Loi de Pascal

Dans un fluide (gaz ou liquide) la pression s'exerce uniformément dans toutes les directions sur toutes les surfaces qui lui sont opposées

Les tables de plongée

Dans notre corps il existe différents tissus ou liquides, par exemple le sang, les muscles, les os, les cartilages. Tous ces tissus n'ont pas la même faculté d'absorption des gaz pour arriver à saturation, ainsi le sang va se saturer beaucoup plus rapidement que les muscles ou les os.

S'il y a effectivement différence de vitesse d'absorption entre les différents tissus, il y a également différence de vitesse de rejet des excédents de gaz par ceux-ci lors de la remontée.

C'est donc sur la base de ces données qu'on été établies les tables de plongée qui, en tenant compte des différents temps de saturation et de désaturation nous permettent, si on les respecte scrupuleusement, d'éviter ce qu'on appelle l'accident de décompression.

C'est le physiologiste français, Paul Bert (1833-1886) qui le premier attira l'attention des spécialistes de travaux sous-marins sur les nécessités de remonter lentement après l'immersion, ceci suite à de nombreux accidents. C'est en 1907 qu'un autre physiologiste, l'Anglais Haldane (1860-1936), créa après une étude approfondie sur les conséquences de l'immersion du corps humain en plongée, les premières tables d'après lesquelles toute remontée devait s'effectuer suivant une règle précise et avec paliers d'arrêts.

Ce sont ces travaux qui sont à l'origine du calcul de nos tables actuelles, revues, corrigées, afin d'améliorer sans cesse la sécurité.

Il existe différentes tables de plongée. En France, nous employons les tables du G.E.R.S. (Groupe d'études et de recherches sous-marines de la marine nationale). En Belgique, ces tables ont longtemps été d'application mais depuis peu la F.E.B.R.A.S. (fédération belge de recherches et activités sous-marines) impose l'emploi des tables américaines en usage dans l'U.S. Navy.

Etudions à présent les deux types de tables, leur composition et leur utilisation.

Note : ces tables sont calculées pour des plongées à l'air dont le mélange respiratoire est celui de notre atmosphère, c'est-à-dire 20 % oxygène/80 % azote et pour une vitesse de remontée de 17 - 18 mètres/minute.

Les tables françaises

La table de plongée à l'air

> La table de plongée à l'air du G.E.R.S. se trouve en fin de volume, aux pages 265 et suivantes.

Cette table est divisée en plusieurs colonnes verticales donnant dans la partie supérieure de celle-ci les indications suivantes : profondeur, durée de la plongée, durée des paliers à 21,18, 15, 12, 9, 6 et 3 m, durée totale de la remontée et enfin le coefficient c.

Elle est également divisée horizontalement, chaque division correspondant à une profondeur déterminée.

Voyons en détail la signification de toutes ces divisions et à quoi elles se rapportent.

○ *Profondeur :* c'est la plus grande profondeur atteinte au cours de la plongée même si l'on n'y séjourne qu'un court instant, nous nous référons donc à la case profondeur correspondante.

○ *Durée de la plongée :* c'est le temps écoulé depuis la première immersion jusqu'au moment où l'on décide de remonter sans interruption à une vitesse constante de 17 m/minute.

○ *Durée des paliers :* c'est le temps qu'il faut passer à chacun des différents paliers, ce temps est déterminé par la profondeur et par la durée de la plongée.

○ *Durée totale de la remontée :* c'est le temps écoulé depuis le moment où l'on décide de remonter à la surface et le moment où l'on arrive à celle-ci en incluant le temps passé aux différents paliers.

○ *Le coefficient c :* c'est le rapport entre la pression partielle de l'azote dans l'organisme après une plongée, et sa pression normale à la surface. Il servira pour le calcul des plongées successives.

● **La courbe de sécurité**

Avant la description proprement dite du fonctionnement des tables, signalons l'existence de ce que l'on appelle la courbe de sécurité. Cette courbe nous permet de plonger à différentes profondeurs pendant un temps bien déterminé sans devoir exécuter de palier(s) lors du retour vers la surface.

Il est utile de connaître cette courbe par cœur afin de pouvoir plonger dans ces limites, ce qui nous permet de réduire les paliers au minimum lorsqu'il doivent être faits dans des conditions difficiles : paliers de pleine eau, mer agitée ou tout simplement eau très froide.

Courbe de sécurité

Profondeur maximum (en mètres)	Durée limite (en heures)
11	Séjour illimité
15	2.00'
20	1.00'
25	0.40'
30	0.30'
35	0.25'
40	0.10'

Cette courbe ne dépasse pas 40 mètres. Par mesure de

prudence même si la table du G.E.R.S. n'indique pas de palier pour des profondeurs plus grandes que 40 mètres, il faut prendre l'habitude de toujours faire un palier de principe de 3 minutes à 3 mètres; ce palier est conseillé également lorsque nous plongeons dans la courbe de sécurité.

● **Comment utiliser la table de plongée?**

1 — On cherche dans celle-ci le chiffre correspondant à la plus grande profondeur atteinte en cours de plongée. S'il n'y figure pas exactement, on prend celui de la case

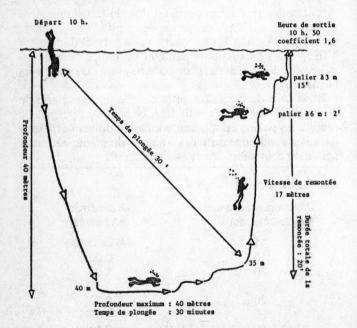

SCHEMA D'UNE PLONGEE-SIMPLE

Exemple : 30' à 40 m

Départ 10 h.

Heure de sortie
10 h. 50
coefficient 1,6

palier à 3 m
15'

palier à 6 m : 2'

Temps de plongée 30 '

Profondeur 40 mètres

Vitesse de remontée
17 mètres

Durée totale de la remontée : 20'

35 m

40 m

Profondeur maximum : 40 mètres
Temps de plongée   : 30 minutes

Quantité d'air nécessaire pour réaliser cette plongée
approximativement 4.000 litres.

Plongée calculée d'après les tables du G.E.R.S.

suivant immédiatement et qui correspond à une profondeur supérieure.

2 — Dans la case «durée de la plongée», on prend le chiffre qui correspond au temps. Même remarque importante : si celui-ci ne s'y trouve pas exactement, on prend le temps supérieur indiqué.

3 — Nanti de la profondeur et du temps qui nous intéresse, il nous reste à trouver en regard des deux premières données considérées la durée des paliers ainsi que le niveau auquel ils doivent être effectués.

Enfin, nous trouvons également toujours en concordance la durée totale de la remontée ainsi que le coefficient c.

○ *Exemple :* une plongée de 30 minutes à 40 m nous donne un palier de 2 minutes à effectuer à 6 m ainsi qu'un autre de 15 minutes à effectuer à 3 m.

La durée totale de la remontée est de 20 minutes et nous sortons avec un coefficient c de 1,6.

○ *Autre exemple :* une plongée de 16 minutes à 46 mètres : 46 mètres ne figurant pas sur la table, on prend 48 mètres; 16 minutes ne figurant pas sur la table, on prend 20 minutes. Nous trouvons dès lors : 3 minutes de palier à effectuer à 6 m, 17 minutes de palier à effectuer à 3 m, 23 minutes de remontée totale, 1,6 de coefficient c.

La plongée successive

Il est important de noter l'heure d'immersion, l'heure d'émersion ainsi que le coefficient c que nous avons lors de notre fin de plongée; ceci afin de nous permettre de calculer éventuellement une plongée successive.

● Qu'est-ce qu'une plongée successive?

C'est une plongée effectuée entre plus de 15 minutes et moins de 6 heures après une première plongée.

Si pour une raison ou une autre on doit se réimmerger

SCHEMA DE PLONGEES SUCCESSIVES

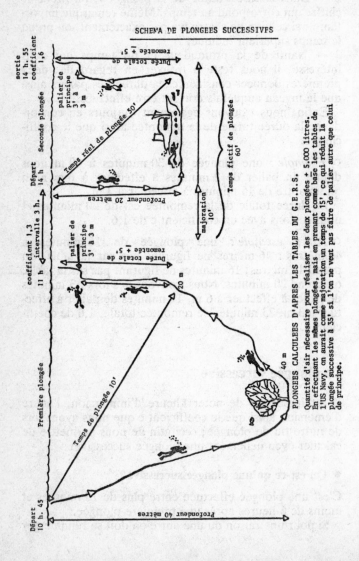

PLONGEES CALCULEES D'APRES LES TABLES DU G.E.R.S.

Quantité d'air nécessaire pour réaliser les deux plongées + 5.000 litres.
En effectuant les mêmes plongées, mais en prenant comme base les tables de
l'US Navy, on aurait comme majoration un temps de 15', ce qui réduit la
plongée successive à 35' si 10m ne veut pas faire de palier autre que celui
de principe.

moins de 15 minutes après notre arrivée en surface, on considère que nous sommes toujours dans la première plongée c'est-à-dire que pour effectuer les paliers, il faut tenir compte :
a) de l'heure de la première immersion,
b) de la plus grande profondeur atteinte,
c) de l'heure d'arrivée en surface,
d) du temps passé en surface,
e) du temps de la seconde plongée.

L'ensemble de ces différents temps peut nous amener à devoir effectuer de très longs paliers de décompression.
○ *Exemple :* je plonge à 40 mètres pendant 10 minutes. Je suis dans la courbe de sécurité, donc je n'ai pas de palier à faire mais par mesure de précaution j'en effectue un de principe de 3 minutes à 3 m et ensuite je remonte à la surface.

10 minutes plus tard, il faut que je redescende à 20 m pour y décrocher l'ancre de mon bateau, et cela me prend 12 minutes. C'est à partir de ce moment que je décide de remonter à une vitesse constante. Quels seront mes paliers ?

Cherchons le temps total de la plongée :
— 10 minutes : temps de la première plongée,
— 6 minutes : temps de la remontée avec le palier de principe,
— 10 minutes : temps passé en surface,
— 12 minutes : temps de seconde plongée.

Nous avons donc 38 minutes de durée de plongée. La profondeur maximale atteinte au cours des deux plongées étant de 40 m, nous devons considérer y avoir séjourné 38 minutes ce qui nous donne comme paliers : 3 minutes à 6 m et 34 minutes à 3 m. Il s'agit donc d'avoir de l'air en suffisance afin de pouvoir effectuer ces paliers.

La durée importante de ceux-ci peut nous surprendre, mais ajoutons que si pour une raison ou une autre la seconde plongée de cet exemple avait duré 3 minutes de plus, j'aurais dû effectuer au total 1 heure de paliers ce qui devient énorme et doit nous donner à réfléchir avant d'agir.

TABLE DE PLONGÉES SUCCESSIVES

Les durées MAJ. sont exprimées en minutes

	C = 1.1		C = 1.2		C = 1.3		C = 1.4		C = 1.5		C = 1.6		C = 1.7		C = 1.8		C = 1.9		C = 2.0	
P =	12		16		20		24		28		32		36		40		45		55	
	MAJ.	INTER.	MAJ.	INTER.	MAJ.	INTER.	MAJ.	INTER.	MAJ.	INTER.	MAJ.	INTER.	MAJ.	INTER.	MAJ.	INTER.	MAJ.	INTER.	MAJ.	INTER.

Espaces vides permettant la lecture des données de la table coulissante

Par contre, sachant plus ou moins ce qui m'attend dans le cas de cet exemple, je m'aperçois que si je retarde un peu la seconde plongée afin de dépasser ce seuil de 15 minutes, cette plongée devient successive. Ainsi, même avec une majoration importante, puisque de 30 minutes, je peux encore séjourner 30 minutes à 20 m sans aucun palier ensuite.

On comprend immédiatement l'avantage qu'il y a à retarder si possible la seconde plongée.

CARTE COULISSANTE DE LA TABLE DE PLONGÉES SUCCESSIVES

• **Comment calculer la plongée successive?**

La table de plongée successive se présente sous forme d'une carte coulissante dans une enveloppe partiellement ajourée et divisée en dix colonnes.

Dans la partie supérieure des colonnes de l'**enveloppe**, se trouve marqué **C** = suivi d'un chiffre. Ce C représente le coefficient C que nous avons après notre première plongée. C'est donc avec la colonne où est imprimé notre coefficient que nous allons travailler.

Sous le C est imprimé un **P =**. Ce P représente la

profondeur prévue pour la seconde plongée.

A côté du P se trouve une découpe. C'est dans cette découpe que nous ferons apparaître la profondeur voulue.

Sous le P est inscrit d'un côté **INTER** (intervalle) de l'autre **MAJ** (majoration). L'intervalle est le temps passé en surface entre les deux plongées et va de 15 minutes à 6 heures. La majoration qui apparaît dans la découpe face à l'intervalle est le temps de plongée fictive que nous avons avant de commencer la seconde plongée et qu'il faut ajouter à la durée réelle de celle-ci pour effectuer les paliers éventuels.

Sur **la carte coulissante** sont imprimées, dans le haut de celle-ci, différentes profondeurs allant de 12 m à 60 m. A leur suite, figurent des chiffres mis en colonnes qui représentent des temps de majoration, temps qui varieront suivant les facteurs de coefficient, de profondeur et d'intervalle.

Pour calculer une plongée successive, il faut donc connaître :
a — le coefficient,
b — l'intervalle,
c — la profondeur à laquelle on désire effectuer cette plongée.

o *Exemple :* 3 heures après ma première plongée je désire replonger à 20 mètres. Je suis sorti de ma première plongée avec un coefficient c de 1,3. C'est donc en regard de cette colonne que je vais amener le chiffre 20 de la carte coulissante qui représente la profondeur. C'est ainsi que face à mon intervalle qui est de 3 heures, apparaît le chiffre 10 qui est ma majoration. Ainsi, en sachant qu'à 20 m je peux plonger pendant 60 minutes sans faire de palier, diminution faite de ma majoration, il me reste à plonger 50 minutes à 20 m sans palier.

Attention! Si les différentes données que nous avons ne sont pas reprises sur la carte de plongée successive, il faut en ce qui concerne la profondeur, toujours choisir le chiffre inférieur qui suit directement dans la table.

Pour l'intervalle de temps également il faut prendre

l'intervalle le plus court qui suit. En ce qui concerne la majoration, si un chiffre n'apparaît pas directement face à l'intervalle, il faut prendre la majoration la plus proche mais toujours la plus grande.

Si l'on décide de faire une seconde plongée, et que l'intervalle entre la première et la seconde est supérieur à 6 heures, on ne tient pas compte de la première et nous nous conformons aux tables de plongée simple tout à fait normalement.

Les tables américaines en usage dans l'U.S. Navy

Ces tables qui sont en application en Belgique, Hollande, Allemagne et dans d'autres pays du monde, ont été élaborées en 1970 et présentées à cette même époque mais sans avoir été encore testées dans le domaine de la plongée sportive.

En 1973, elles furent reprises dans l'*US Navy Diving Manual*, mais ce n'est qu'en 1978 qu'elles furent recommandées par la C.M.A.S. (Confédération mondiale des activités subaquatiques) ayant à ce moment fait toutes leurs preuves.

● **Comparaison avec les tables françaises**

Les tables américaines étant sensiblement plus récentes et basées sur des données scientifiques beaucoup plus vastes et prouvées, sont beaucoup plus proches de la réalité et nous donnent par conséquent une plus grande sécurité, ce qui est toujours primordial en plongée.

Elles ont également l'avantage d'être plus simples à l'emploi, particulièrement pour les plongées successives, et de pouvoir être emportées en plongée. Remarquons que le coefficient c est remplacé par une lettre alphabétique de **A** à **N**), représentant toujours le symbole de sursaturation, **S**.

Autre grande différence importante, le temps d'intervalle entre deux plongées pour une successive est passé de 6 heures à 12 heures. Si la profondeur de la première plongée dépasse 57 m, il faut attendre 12 heures pour en effectuer une autre[*].

● **Présentation des tables**

○ *En première face,* un tableau qui est celui de base pour les plongées et allant de 3 à 57 m. Dans ce tableau sont repris comme pour les tables du G.E.R.S. différentes profondeurs (**P**), les niveaux de paliers (**Pal.**) et leur temps à respecter, ainsi que les temps de plongée (**T**) et le symbole (**S**) s'y rapportant pour le cas d'une successive.

Sur un tableau séparé, figurent les plongées allant de 60 à 90 m, indiquant également toutes ces informations excepté le symbole puisque la successive après ces profondeurs n'est plus permise. Ces tables sont calculées sur base d'une vitesse de remontée de 18 mètres/minute.

○ *Sur la seconde face,* apparaît un premier tableau comprenant verticalement les symboles de A à N et horizontalement les temps d'intervalle à la surface qui vont de 10 minutes à 12 heures. Ces temps sont exprimés en heures et minutes.

De ce premier tableau descendent vers un second quatorze flèches qui nous mènent vers différentes colonnes de majoration.

Dans le second tableau figurent :
— verticalement, les profondeurs avec un minimum de 12 mètres et un maximum de 57 mètres ;
— horizontalement, les différents temps de majoration ou de pénalisation correspondant à l'intervalle et à la profondeur. Ces temps sont exprimés uniquement en minutes.

---

[*] Ne pas plonger à une profondeur supérieure à 57 m lors de la seconde plongée.

m	min	Pal 3	S
15	15		C
	25		D
	30		E
	40		F
	50		G
	60		H
	70		I
	80		J
	90		K
	100		L
	110	3	L
	120	5	M
18	15		C
	20		D
	25		E
	30		F
	40		G
	50		K
	55		I
	60	2	J
	70	7	K
	80		L
	100	14	M
21	10		C
	15		D
	20		E
	30		F
	35		G
	40		H
	45		I
	50		J
	60	8	K
	70	14	L
	80	18	M

m	min	Paliers 6 3	S
24	5		B
	10		C
	15		D
	25		E
	30		F
	35		H
	40		I
	50	10	K
	60	17	L
	70	23	M
27	10		C
	12		D
	15		E
	20		F
	25		G
	30		H
	40	7	J
	50	18	L
	60	25	M
	70	7 30	N
30	15		D
	18		E
	20		F
	22		G
	25		H
	40	3	I
	50	18	K
	60	9 25	N

m	min	Paliers 9 6 3	S
33	10		D
	15		E
	15		F
	20		G
	25	3	H
	30	7	J
	40	2 21	L
	60	8 28	N
	90	19 36	N
36	5		C
	10		D
	15		E
	20	2	H
	25	5	I
	30	14	J
	40	5 25	L
	50	15 31	N
39	8		D
	10		E
	15	1	F
	20	4	H
	25	10	J
	30	3 16	K
	40	10 25	N
42	5		C
	7		D
	10		E
	20	2	G
		6	I
	25	2 14	J
	30	5 21	K
	40	2 16 26	N

m	min	Paliers 9 6 3	S
45	5		C
	10	1	E
	15	3	G
	20	2 7	H
	25	4 17	K
	30	8 24	L
	40	5 19 33	N
48	5		D
	10	1	F
	15	3	J
	20	3 11	J
	25	7 20	K
	30	2 11 25	M
	40	7 23 38	N
51	5		D
	10	2	F
	15	5	H
	20	4 15	I
	25	2 7 23	L
	30	4 13 26	M
54	5		D
	10	3	F
	15	6	I
	20	1 5 17	K
	25	1 10 24	L
	30	6 17 27	N
57	5		D
	10	1 3	G
	15	4 7	I
	20	2 6 20	K
	25	5 11 25	M

FEBRAS

A													0:10	12:0
B												0:10	2:1	12:0
C											0:10	1:40	2:50	12:0
D										0:10	0:55	1:58	3:23	6:33	12:0
E									0:10	1:16	2:00	2:59	4:26	7:36	12:0
F								0:10	0:41	1:16	2:00	2:59	4:26	7:36	12:0
G							0:10	0:46	1:30	2:29	3:58	7:06	12:0
H						0:10	0:37	1:07	1:42	2:24	3:21	4:50	8:00	12:0
I					0:10	0:34	1:00	1:30	2:03	2:45	3:44	5:13	8:22	12:0
J				0:10	0:32	0:55	1:20	1:48	2:21	3:05	4:03	5:41	8:41	12:0
K			0:10	0:29	0:50	1:12	1:36	2:04	2:39	3:22	4:20	5:49	8:59	12:0
L		0:10	0:27	0:46	1:05	1:26	1:50	2:20	2:54	3:37	4:36	6:03	9:13	12:0
M	0:10	0:26	0:43	1:00	1:19	1:40	2:06	2:35	3:09	3:53	4:50	6:19	9:29	12:0
N	0:10	0:25	0:40	0:55	1:12	1:31	1:54	2:19	2:48	3:23	4:05	5:04	6:33	9:44	12:0

INTERVALLES ENTRE LES PLONGÉES EN H:MIN

Prof. m	N	M	L	K	J	I	H	G	F	E	D	C	B	A
12	213	187	161	138	116	101	87	73	61	49	37	25	17	7
15	142	131	111	99	87	79	65	55	47	39	30	24	17	11
18	107	97	88	79	70	61	52	44	36	30	24	17	11	5
21	87	80	72	64	57	50	43	37	31	26	20	15	9	4
24	73	68	61	54	48	43	38	32	28	23	18	13	8	4
27	64	58	53	47	43	38	33	29	24	20	16	11	7	3
30	57	52	48	43	38	34	30	26	22	18	14	10	7	3
33	51	47	43	39	34	31	27	24	20	16	13	9	6	3
36	46	43	39	35	32	28	25	21	18	15	12	9	6	3
39	42	39	35	32	29	26	23	20	18	15	12	9	5	2
42	38	35	32	29	26	23	20	18	15	12	10	7	5	2
45	35	33	30	27	24	22	19	17	14	12	9	7	5	2
48	33	31	28	26	23	20	18	16	13	11	9	6	4	2
51	31	29	26	24	22	20	17	15	13	11	8	6	4	2
54	29	27	25	22	20	18	16	14	12	10	8	6	4	2
57	28	26	23	21	19	18	15	13	11	9	7	6	3	2
metres														

PÉNALISATIONS EN MINUTES

TABLES DE PLONGÉES À L'AIR U.S.N.
VITESSE DE REMONTÉE: 18 MÈTRES / MINUTE
SOIT 3 MÈTRES PAR 10 SECONDES

m	min	Paliers 12 9 6 3	
60	5	1	
	10	1 4	
	15	5 16	
	20	3 7 27	
	25	7 14 25	
63	5	2	
	10	2 5	
	15	4 10	
	20	7 17	
66	5	2	
	10	5	
	15	2 5 16	
	20	1 3 11 26	
69	5	1 2	
	10	3 6	
	15	1 6 18	
72	5	2	
	10	4 6	
	15	4 9 21	
75	5	1 2	
	10	1 4 7	
	15	4 7 17 27	
78	5	2	
	10	2 4 10	
	15	2 4 10 22	
81	5	3	
	10	3 11	
	15	3 11 24	
84	5	2 2	
	10	1 2 5 13	
87	5	2 3	
	10	1 3 5 19	
90	5	3 3	
	10	1 3 6 17	

● **Comment employer ces tables ?**

○ *Première plongée : 35 minutes à 34 mètres*
Entrer dans la table de base à 36 m et y prendre le temps
de 40 minutes, ce qui donne 5 minutes de palier à 6 m et
25 minutes à 3 m ; symbole de sortie L ; temps total de la
plongée : 67 minutes, se décomposant en 35 minutes de
plongée, 2 minutes de remontée et 30 minutes de paliers.

○ *Seconde plongée : 30 minutes à 25 mètres avec un intervalle de 4 heures.*
Entrer dans la table des symboles à la ligne précédée de
la lettre L, y chercher le temps d'intervalle directement
supérieur à 4 heures qui est 4 heures 36 minutes. Ensuite
suivre vers le bas la flèche qui précède ce temps ; puis,
dans la colonne où aboutit la flèche, sur la ligne de la
profondeur atteinte (ou si celle-ci n'est pas inscrite, sur la
ligne de profondeur directement inférieure) lire le temps
de majoration ; dans notre cas, il est de 18 minutes.
   Ce temps étant considéré comme déjà passé en plongée, on l'ajoute aux 30 minutes passées à 25 mètres, ce
qui donne 48 minutes à 25 mètres.
   Ensuite, entrer dans la table de base (plongée uni-
taire) : nous devons prendre la profondeur de 27 mètres
et le temps de 50 minutes, ce qui donne 18 minutes de
palier à 3 mètres et par conséquent une plongée totale de
49 minutes.

○ Si pour une raison ou une autre il y a *une interruption
de palier,* il faut redescendre endéans les 5 minutes et si
possible endéans les 3 minutes à une profondeur de
12 mètres et effectuer ensuite les paliers suivants :
— à 12 m : 1/4 du temps imposé à 3 m,
— à 9 m : 1/3 du temps imposé à 3 m,
— à 6 m : 1/2 du temps imposé à 3 m,
— à 3 m : 1 1/2 le temps imposé à cette profondeur.
   Ceci bien sûr en tenant compte de la profondeur maximale atteinte et de la durée de la plongée.

● **La courbe de sécurité**

La courbe de sécurité, dans la table américaine, est

mieux équilibrée et plus sévère.

Profondeur maximum (en mètres)	Durée limite (en heures)
9	séjour illimité
10,5	5.10'
12	3.20'
15	1.40'
18	1.00'
21	0.50'
24	0.40'
27	0.30'
30	0.25'
33	0.20'
36	0.15'
39	0.10'
42	0.10'
de 45 à 57	0.05'

Les tables professionnelles et commercialisées

D'autres tables sont encore utilisées en France, notamment les tables de la C.O.M.E.X. Cependant, ces tables étant établies à l'usage des plongeurs professionnels (elles tiennent compte d'un travail sous-marin intensif) sont pour le plongeur sportif trop sévères.

Certaines firmes vendent des tables pouvant être emportées en plongée. Ces tables commercialisées sont conformes aux tables du G.E.R.S. ou de la F.E.B.R.A.S. Nous vous en donnons ci-après un exemple à titre purement indicatif.

● **Remarque importante** : au sujet du vol en avion après la plongée, il est autorisé comme suit : en avion de ligne (pressurisé), 12 heures après les plongées autorisant une successive ; 24 heures pour les autres. En avion non pressurisé, respectivement 24 et 36 heures.

La vitesse de remontée ne doit pas dépasser 17 mètres/minute

Profond.	Durée	Durée des paliers à		Profond.	Durée	Durée des paliers à	
		6 m.	3 m.			6 m.	3 m.
18	1 h. 20		3	34	30		4
20	1 h. 10		6		35		12
	1 h. 20		10		40		19
22	55		2		45		26
	60		7		50		34
24	50		5	35	30		6
	55		9		35		14
26	45		6		40		22
	50		11	36	30		8
	55		14		35		16
	60		18	38	25		2
28	40		6		30		12
	45		11		35		20
	50		16		40		27
30	35		3	40	15		2
	40		10		20		4
	45		16		25		8
32	35		7		30	2	15
	40		15		35	2	25
	45		21				

LA SPIROTECHNIQUE
TABLE CLUB
table de plongée à l'air Marine Nationale

Profond.	Durée	Durée des paliers à			Profond.	Durée	Durée des paliers à		
		9 m.	6 m.	3 m.			9 m.	6 m.	3 m.
42	15			4	55	10			4
	20			6		15		3	8
	25		3	18		20	2	3	23
	30		5	24		25	3	11	33
	35		11	34	58	10		1	4
45	10			2		15		4	10
	15			4		20	2	6	23
	20		2	8		25	3	14	36
	25		3	21	60	5			1
	30		9	29		10		1	5
48	10			3		15	1	4	10
	15			5		20	3	7	26
	20		3	17	62	5			3
	25		5	23		10		2	5
	30	1	12	34		15	2	3	15
50	10			3		20	3	9	28
	15		2	4	65	5			4
	20		4	18		10		3	5
	25	1	7	28		15	3	3	20
	30	2	13	37	68	5			4
52	10			4		10		4	5
	15		2	6		15	3	3	22
	20	1	4	20	70	5			5
	25	2	9	29		10	1	4	4
	30	2	15	40		15	3	4	23

Les connaissances médicales

Pour pratiquer la plongée sous-marine sportive, il ne faut pas de qualités physiques exceptionnelles ; un bon équilibre physique et psychique est suffisant. Il est cependant conseillé, avant de se lancer dans ce sport, de passer une visite médicale approfondie, afin de savoir s'il n'y a toutefois pas de contre-indication à sa pratique.

En Belgique, cette visite médicale est obligatoire annuellement, ainsi que le passage d'un électro-encéphalogramme et d'un électro-cardiogramme qui lui doit être repassé tous les trois ans.

● Voici les **contre-indications principales :**
— l'hypertension artérielle élevée,
— les malformations congénitales,
— les troubles cardio-vasculaires,
— la tuberculose,
— les maladies des bronches,
— l'asthme,
— la jaunisse,
— le diabète,
— l'épilepsie,
— les lésions de l'oreille interne,
— la grossesse.

Il y a encore de nombreuses autres contre-indications à la plongée, mais seul un médecin connaissant ce sport et ses problèmes peut décider de l'aptitude ou de l'inaptitude d'un individu à sa pratique.

S'il ne faut pas de qualités physiques exceptionnelles, il est toutefois recommandé de savoir nager et d'être à son aise dans le milieu aquatique, car vouloir plonger si on a vraiment peur de l'eau n'est pas souhaitable.

Les accidents de plongée

Il y a toujours un revers à la médaille et, si la plongée apporte énormément de joies, elle entraîne également quelques risques. C'est pour éviter ceux-ci au maximum et pour n'en connaître que les joies, qu'il est très important d'en prendre conscience par une petite étude théorique.

Connaître les accidents, leurs symptômes, ainsi que respecter les lois de la plongée, c'est déjà assurer sa sauvegarde ainsi que celle de ses compagnons de plongée.

Il existe quatre groupes d'accidents :
— les accidents mécaniques,
— l'accident de décompression,
— les accidents dus à la toxicité des gaz,
— les accidents dus à la faune et au milieu naturel.

Les accidents mécaniques

Ce sont des accidents en relation directe avec la loi de Boyle et Mariotte c'est-à-dire qu'ils peuvent se produire suite à des variations de volume dues à la pression.

• Le placage du masque

Ce problème survient à la descente. L'air contenu dans le masque est en dépression par rapport à la pression ambiante et crée de ce fait un placage de celui-ci sur le visage.

Il est très facile de remédier à cette situation, car il suffit d'expirer par le nez dans le masque, rétablissant ainsi l'équilibre entre la pression intérieure et la pression ambiante.

○ *Symptômes*
Sensation d'aspiration sur le visage pouvant provoquer de petites hémorragies oculaires (taches de sang dans le

Equilibrage des oreilles en plongée

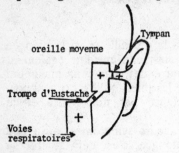

Oreille équilibrée : la pression est la même à l'intérieur qu'à l'extérieur.

Oreille bouchée à la descente : la pression extérieure est plus grande que la pression intérieure.

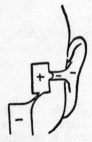

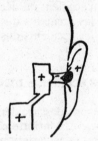

Oreille bouchée à la remontée : la pression intérieure est plus grande que la pression extérieure.

Usage d'un bouchon dans l'oreille : à la descente il se crée une dépression dans le conduit auditif.

blanc de l'œil), des saignements du nez ainsi que la possibilité de meurtrissures des paupières.

● **Les accidents de l'oreille**

Ils sont provoqués par un déséquilibre des pressions au niveau des tympans amenant soit des lésions soit même la rupture de ceux-ci. Il est donc très important de commencer à équilibrer les oreilles dès les premiers mètres d'immersion et de ne pas attendre de ressentir une douleur au niveau des tympans pour y penser.

— *Si une douleur se fait sentir, il faut immédiatement interrompre la descente* et remonter jusqu'à ce qu'elle ait disparu, ensuite reprendre la descente lentement tout en ayant soin de bien équilibrer afin que la douleur ne réapparaisse pas.

— *La maneuvre de Valsalva,* que l'on pratique pour équilibrer, s'effectue tant que l'on continue à descendre; toutefois, elle ne peut pas être pratiquée à la remontée car elle aurait un effet absolument contraire au but recherché et pourrait provoquer un accident venant non pas de l'extérieur vers l'intérieur mais bien de l'intérieur vers l'extérieur.

— *L'usage d'un bouchon est également à proscrire* car à la descente il créerait une dépression entre le tympan et l'orifice extérieur de l'oreille d'où risque de rupture du tympan de l'intérieur vers l'extérieur.

— *Il est parfois impossible d'assurer l'équilibre indispensable à nos oreilles* à cause de l'obstruction d'une ou des trompes d'Eustache, due par exemple à un rhume, une rhinite, une inflammation ou une infection des voies respiratoires. Dans ce cas, ne forcez surtout pas car il vaut mieux interrompre la plongée du jour et consulter un médecin afin d'obtenir un traitement adéquat.

○ *Symptômes et traitement*

Douleurs aiguës dans l'oreille qui s'intensifient si la descente continue. S'il y a rupture du tympan, il y a risque de déséquilibre; de ce fait, le plongeur ayant perdu le sens de l'orientation est incapable de se diriger vers la surface. La douleur peut être tellement forte qu'elle provoquera une syncope favorisée par l'irruption de l'eau dans l'oreille moyenne.

Même s'il n'y a que lésions, il peut y avoir infection et hémorragie interne et/ou externe. Si cet accident devait se produire, il faudrait consulter immédiatement un spécialiste O.R.L. (nez - gorge - oreilles).

La rupture du tympan est un accident grave tant par ses conséquences immédiates que par les séquelles qu'elle peut entraîner, allant parfois jusqu'à la surdité.

● Les accidents des sinus

Les sinus s'équilibrent automatiquement, mais s'il y a obstruction de l'un d'eux à cause d'une inflammation, d'une sinusite ou même d'un rhume, le plongeur ne pourra pas intervenir. De ce fait, si cet équilibre ne se réalise pas, il faut absolument renoncer à continuer l'immersion et demander l'avis d'un médecin.

○ *Symptômes et traitement*
Douleurs dans la région frontale ou encore sous les yeux et latéralement au nez; douleurs qui vont en s'accroissant au fur et à mesure de la descente, mais qui peuvent également survenir à la remontée (expérience vécue).

Il est important de ne pas forcer et d'interrompre la plongée sinon on s'expose à de graves problèmes qui peuvent conduire à devoir abandonner ce sport définitivement.

Si les douleurs se font ressentir à la remontée, il convient, si elles sont très aiguës, de redescendre de quelques mètres afin qu'elles s'atténuent un peu et ensuite de remonter le plus lentement possible en faisant jouer les muscles du visage pour essayer de faciliter le passage de l'air.

Si un problème de ce genre survient, consultez aussi un O.R.L. le plus rapidement possible.

● Les accidents dentaires

Ce type d'accident survient à la remontée et a pour cause une mauvaise hygiène dentaire
— par exemple : carie non soignée, plombages défectueux, fissure de l'émail
— ce qui permet l'entrée d'air dans la dent. Lors de la remontée, par l'augmentation de volume, si l'air ne peut pas sortir ou pas suffisamment vite, il risque de faire sauter un plombage ou éclater une dent minée.

○ *Symptômes et traitement*
Douleurs aux dents. Une remontée très lente peut par-

fois faire disparaître la douleur.

● Les coliques du plongeur

Elles peuvent avoir pour cause la fermentation d'aliments ou un envoi d'air dans l'estomac. Si le plongeur avale de l'air sous pression, cet air peut soit rester dans l'estomac soit aller dans l'intestin. Le principe est le même que pour les dents. C'est le volume d'air avalé ou de gaz produit qui en augmentant va distendre l'estomac ou l'intestin, s'il ne peut pas s'échapper.

○ *Symptômes et traitement*
Douleurs à l'estomac, gêne respiratoire ou douleurs abdominales. Dans certains cas, une réimmersion à maximum 6 mètres peut éliminer toutes douleurs.

● La surpression pulmonaire

De tous les accidents mécaniques et même de tous les accidents de plongée, c'est certainement le plus grave et aussi le plus grand responsable de cas mortels.

Cet accident redoutable provient uniquement du fait que l'air contenu dans nos poumons ne peut pour une raison ou une autre en sortir. Il est, suite à une différence rapide et importante de pression lors de la remontée, d'autant plus dangereux que cette vitesse de remontée est plus grande et que le volume d'air contenu dans les poumons est important au moment où se produit l'obstruction.

Les obstructions peuvent avoir des origines diverses. Citons notamment :
— le spasme de la glotte (qui peut être provoqué soit par une anxiété soit par un état de panique),
— l'inhalation d'eau dans les voies aériennes supérieures,
— le blocage de l'expiration lors d'une remontée en catastrophe à l'aide d'un gilet de sécurité (danger très courant) ou lors d'une remontée sans embout
— ou encore des anomalies anatomiques telles que bronche «à clapet» ou asthme bronchique.

Les conséquences de cet accident sont variables et dépendent de l'intensité de la surpression. Elles peuvent aller de la distension alvéolaire sans rupture à l'embolie cérébrale en passant par l'emphysème du médiastin (injection d'air dans la région médiane du thorax), le pneumothorax traumatique (injection d'air entre les deux feuillets de la plèvre) ou emphysème sous-cutané (injection d'air sous la peau, région sterno-claviculaire et cou), etc.

○ *Symptômes*

Ils varient également suivant la gravité de l'accident, mais sont facilement reconnaissables. Ils peuvent se présenter sous forme de douleurs thoraciques, difficultés respiratoires, sensation d'étouffement, spume sanglante, crachements de sang, état de choc, pâleur, pouls faible, refroidissement des extrémités, perte de connaissance, paralysie des membres ou respiratoire et possibilité de décérébration.

○ *Traitement*

Le traitement de cet accident doit se faire de toute urgence car ses conséquences physiologiques dépendent directement de la rapidité avec laquelle l'accidenté est amené à un centre hyperbare (centre hospitalier équipé spécialement pour pratiquer la recompression et pour soigner par des mélanges respiratoires enrichis à l'oxygène).

Donc, faire respirer à l'accidenté de l'oxygène normobare et faire évacuer celui-ci vers un centre adéquat si possible par un service spécialisé (ambulance, pompiers ou hélicoptère).

Attention! La surpression pulmonaire peut parfois être doublée d'un accident de décompression particulièrement lors de remontée trop rapide ou non contrôlée. Les plongeurs débutants sont plus enclins à subir ce genre d'accident du fait de leur manque de maîtrise respiratoire ou parce qu'ils sont plus vite gagnés par la panique lors de problèmes même mineurs.

Enfin, le fait d'évoluer, même par prudence, dans la zone des dix premiers mètres, peut s'avérer encore plus dangereux dans le cas d'une remontée trop rapide, avec le mauvais réflexe des voies respiratoires bloquées, car c'est dans cette zone que la pression passe du simple au double.

○ *Remarque importante*
Ce type d'accident ne peut pas arriver au plongeur en apnée, qui descend et remonte avec dans ses poumons uniquement la quantité d'air qu'il a inspiré à la surface.

Cette remarque n'est cependant valable qu'à condition que le plongeur en apnée ne respire pas, en cours de plongée, de l'air sur un scaphandre; sinon il se voit automatiquement soumis à la loi de Boyle et Mariotte, subissant de ce fait une variation de volume.

En remontant, s'il n'expire pas, il encourt les mêmes risques que le plongeur en scaphandre.

L'accident de décompression

Cet accident est en relation directe avec la loi d'Henry associée à la loi de Boyle et Mariotte (dissolution des gaz et variation des volumes et pressions).

Il provient principalement du non-respect par le plongeur des tables de plongée, ainsi que des temps de paliers et de la vitesse de remontée imposée. Cependant il peut arriver que ces transgressions des lois se produisent suite à des cas de force majeure, par exemple : insuffisance d'air, incident de plongée, défection du matériel ou encore conditions météorologiques se dégradant soudainement.

L'origine de cet accident est l'azote (N_2) absorbé par nos tissus en cours de plongée, et qui lors de la remontée doit être éliminé. Pour éliminer ces excédents de gaz, les tissus les rejetteront dans le sang qui les transportera jusqu'aux poumons sous forme de micro-bulles.

Si la remontée est trop rapide, ces micro-bulles suite à la baisse de pression, vont passer à l'état de «bulles». Ce sont ces bulles qui vont créer l'accident en entravant la circulation sanguine ou en restant stationnées dans une région du corps. L'accident peut survenir soit en cours de plongée, soit directement à la sortie, ou encore parfois plusieurs heures après la plongée.

Les conséquences sont variables et dépendent principalement de l'importance des bulles et de leur localisation.

o *Symptômes*

1 — Puces et moutons : sensation de démangeaison sous-cutanée accompagnée éventuellement de gonflement, boursouflures, marbrures ou plaques rouges sur la peau. Sensation de fatigue anormale.

2 — Les «bends» : ils sont dus à la localisation de bulles dans les os, les articulations ou les muscles. Il s'agit de douleurs d'intensité variable pouvant être accompagnées de gêne fonctionnelle dans les parties précitées.

3 — Les symptômes nerveux : ils peuvent consister en troubles sensoriels, tels que : équilibre, parole, vue, ouïe, mais également en troubles moteurs pouvant mener à la paralysie surtout de la moitié horizontale (paraplégie) ou verticale (hémiplégie) du corps ou d'un membre (monoplégie) ou encore des quatre membres (quadriplégie).

Ajoutons que par réaction à l'accident, le sang peut, par modification biologique des éléments qui le composent, être responsable d'autres effets secondaires qu'on appelle la maladie de décompression.

o *Les principaux facteurs* favorisant ou aggravant cet accident sont :
— un état de fatigue générale (physique ou nerveuse),
— la pratique d'effort avant, pendant ou après la plongée (augmentation de CO_2),
— la pratique de la plongée libre après une plongée en scaphandre,
— les différences thermiques (le froid, l'exposition solaire avant ou après la plongée),
— la nervosité ou la peur,
— le valsalva à la remontée,
— les troubles de circulation et de respiration,

— l'âge et l'obésité,
— la digestion de repas gras (ou trop bien arrosé),
— pour le sexe féminin, l'imminence ou l'apparition des règles.

○ *Traitement*

Tout accidenté de décompression, même bénin, doit être le plus rapidement possible transféré vers un centre de recompression (centre hyperbare); mais dès l'apparition du moindre symptôme d'accident, par exemple un simple état de fatigue anormal, il faut directement administrer à l'accidenté de l'oxygène normobar, ensuite lui donner un gramme d'aspirine avec de l'eau et toujours le surveiller.

Si le transport vers un centre de recompression ne peut pas être effectué par un service spécialisé, il faut l'assurer soi-même dans les meilleurs conditions en maintenant si possible l'accidenté sous oxygène.

Si les règles de prévention de l'accident semblent avoir été respectées, et que malgré cela un accident de cause indéterminée survient dans une palanquée, il y a lieu de maintenir toute la palanquée sous surveillance et éventuellement d'administrer de l'oxygène à chacun de ses membres, même préventivement car l'accident peut être le fait d'une simple erreur humaine et peut se déclarer chez un sujet plus rapidement que chez un autre.

Lors de la remise d'un accidenté entre les mains d'un personnel qualifié, il faut communiquer le maximum d'informations telles que : heure de sortie, type de plongée, symptôme apparu et traitement reçu.

Les accidents dus à la toxicité des gaz

Ces accidents découlent des lois de Dalton et Henry (pression et dissolution des gaz). Ils surviennent après avoir respiré de l'air sous pression, en ayant dépassé la tolérance admise par l'organisme, ce qui provoque une toxicité de la part de cet air pour le plongeur. Il est possible d'avoir une intoxication au gaz carbonique (CO_2), à l'azote (N_2) et à l'oxygène (O_2).

● **Intoxication au gaz carbonique (CO2)**

La base même de cette intoxication nous est familière, car il s'agit tout simplement de l'essoufflement. Si à l'air libre l'essoufflement est en principe peu grave, il n'en est pas de même en plongée, ou s'il dépasse un certain stade, il peut aller jusqu'à provoquer une syncope.

L'essoufflement peut être provoqué par le froid, un mauvais rythme respiratoire, un effort inconsidéré ou encore une mauvaise technique de palmage.

Si l'on se sent essoufflé, il faut en premier lieu avertir son chef de palanquée ensuite arrêter toute activité. Le simple fait de remonter de quelques mètres, diminue déjà l'intensité de l'essoufflement. Enfin, il faut expirer le plus profondément possible.

Remarque : afin d'éviter ce type d'intoxication, il est également indispensable de veiller à la qualité de l'air employé pour le chargement des bouteilles, particulièrement dans le cas d'emploi d'un compresseur à moteur à essence : voir si la prise d'air ne se trouve pas trop près de l'échappement.

● **Intoxication à l'oxygène (02)**

Cette intoxication concerne beaucoup plus les plongeurs professionnels et militaires que les plongeurs sportifs. Elle s'applique plutôt aux mélanges respiratoires enrichis en oxygène ou à la plongée avec oxygène pur. Au cas où on aurait l'occasion de plonger à l'oxygène pur (par exemple avec un narguilé), il est conseillé de ne pas dépasser 7 m de profondeur. Concernant l'air respiré en plongée, son pourcentage d'oxygène impose de ne pas dépasser 85 m.

● **Intoxication à l'azote (N2)**

L'intoxication à l'azote est ce qu'on appelle communément «l'ivresse des profondeurs». Tout plongeur peut ressentir les effets de l'ivresse» mais à des profondeurs et suivant une intensité variant d'un individu à l'autre.

Si les symptômes de l'ivresse (euphorie ou méfiance exagérée, rétrécissement du champ de vision, augmentation de perception de bruit) apparaissent, il suffit de remonter jusqu'à ce qu'ils aient disparu.

Le choc

Etat de détresse aigu de l'organisme suite à une agression grave de celui-ci.

Exemple : traumatisme, accident de décompression, surpression pulmonaire, froid, brulûres, etc... Si le choc est réversible dans sa phase initiale, faute d'un traitement adéquat, il peut rapidement devenir irréversible.

○ *Symptômes :* sensation de malaise intense, pâleur, refroidissement des extrémités, pouls de plus en plus filant, état de stupeur puis inconscience.

○ *Traitement*
Nécessité d'un médecin de tout urgence, cependant en l'attendant, administrer de l'oxygène et empêcher le «choqué» de se refroidir. Rappelons que cet état peut se surajouter à n'importe quel accident de plongée.

Les accidents dus à la faune et au milieu naturel

● **La noyade**

Il existe trois types de noyade : la noyade par inondation des voies respiratoires, par réflexe et retardée.

S'il s'agit d'*inondation des voies respiratoires,* le noyé sera bleu, couleur due à l'asphyxie.

S'il s'agit d'une *noyade par réflexe,* le noyé sera blanc car elle aura été provoquée par une syncope. Il se peut également qu'après une syncope et toujours en immersion, la respiration reprenne, ce qui provoque alors une inondation des voies respiratoires.

La *noyade retardée* est due au fait qu'il reste encore de l'eau dans les poumons d'un noyé réanimé et que cette eau empêche le sang d'absorber l'oxygène des poumons, ce qui provoque une noyade par hypoxie.

S'il y a noyade, il y a lieu de pratiquer la réanimation par exemple le bouche à bouche. Si le cœur est arrêté, il faut pratiquer le massage cardiaque. Ces faits et gestes doivent être effectués par quelqu'un de compétent. Il faut toujours conduire un noyé, même réanimé, à l'hôpital afin de l'y mettre en observation.

● De nombreux petits incidents sont dus à d'autres causes naturelles telles que vagues, courants, mauvaise visibilité, morsures d'animaux ou flore urticante. A ces causes naturelles il faut encore ajouter les possibilités d'incidents dus à l'homme lui-même, c'est-à-dire les filets de pêche perdus ou non, les épaves, les explosifs et les bateaux naviguant en surface.

Comme on le voit, le nombre d'accidents possibles est énorme. Il peut rebuter les novices ainsi que les esprits critiques et les peureux; ce qui peut être normal.

Mais si l'on plonge, conscient de ces risques et nanti de ces connaissances, bien entraîné et dans un esprit de réflexion et de sécurité avant tout, la plongée n'est pas plus dangereuse que bien d'autres sports moins spectaculaires ou qu'un exode massif sur «l'autoroute du Soleil» par un beau jour de vacances.

Clubs et brevets

Les clubs de plongée

Pour apprendre la plongée et acquérir la maîtrise de ce sport, la meilleure manière de procéder est de s'inscrire dans un **club reconnu par une fédération nationale**. Ces clubs sont nombreux, et ils offrent aux débutants comme aux plongeurs chevronnés la possibilité soit d'apprendre soit de perfectionner ce sport.

Ainsi en fréquentant un club de plongée, le débutant sera initié à l'évolution du corps dans l'eau. Il apprendra à maîtriser sa respiration et ses mouvements afin de rendre ceux-ci les plus efficaces possibles tout en développant un minimum d'effort.

Notre plongeur débutant apprendra également le fonctionnement du matériel ainsi que son rôle dans la plongée. Il découvrira comment se servir du matériel en utilisant au mieux ses possibilités techniques. Il pourra profiter de l'enseignement théorique donné par les responsables des clubs, ce qui est d'une importance considérable si l'on veut pratiquer ce sport comme il doit l'être.

Si la théorie de la plongée semble une matière assez ardue, il faut cependant se dire qu'elle est très progressive : on ne peut exiger d'un débutant ce qu'on est en devoir d'exiger d'un moniteur qui est appelé à enseigner et à diriger des plongées.

Il existe aussi quelques **clubs «privés»** Les moniteurs de ceux-ci peuvent apporter à leurs membres un enseignement très valable et même accéléré par rapport aux écoles fédérées; une affiliation chez eux est toutefois à considérer avec prudence, car les brevets décernés ne sont pas reconnus par les fédérations.

En ce qui concerne le plongeur chevronné, la fréquentation d'un club de plongée a une double action bénéfique : elle lui permet de maintenir sa condition physique par un entraînement régulier, ce qui est toujours un atout majeur dans la pratique de ce sport; elle lui permet aussi de connaître les nouveautés techniques et théoriques, ce qui apporte une expérience toujours croissante et permet de rester «dans le coup». Seconde action bénéfique : pour enseigner valablement la plongée, les clubs ont besoin de moniteurs ou d'aides; c'est pourquoi leur présence est nécessaire afin de faire profiter les nouveaux venus dans ce sport, du fruit de leurs expériences et connaissances.

Les brevets

Comme d'autres disciplines, la plongée possède une échelle de valeur des connaissances du candidat, c'est pourquoi on attribue des brevets de plongée. A chacun de ces brevets correspond un certain niveau de connaissances théoriques, de possibilités physiques tant en piscine qu'en plongée profonde ainsi que dans la pratique de divers exercices de sécurité. Cette échelle est représentée sur l'organigramme des brevets de plongée avec les exercices s'y rapportant pour la France et pour la Belgique.

France

Voici une progression d'exercices pratiques établie par la commission technique de la F.F.E.S.S.M.* Elle déter-

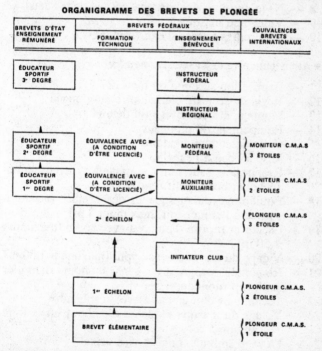

ORGANIGRAMME DES BREVETS DE PLONGÉE

BREVETS D'ÉTAT ENSEIGNEMENT RÉMUNÉRÉ	BREVETS FÉDÉRAUX		ÉQUIVALENCES BREVETS INTERNATIONAUX
	FORMATION TECHNIQUE	ENSEIGNEMENT BÉNÉVOLE	
ÉDUCATEUR SPORTIF 3ᵉ DEGRÉ		INSTRUCTEUR FÉDÉRAL	
		INSTRUCTEUR RÉGIONAL	
ÉDUCATEUR SPORTIF 2ᵉ DEGRÉ	ÉQUIVALENCE AVEC ▶ (A CONDITION D'ÊTRE LICENCIÉ)	MONITEUR FÉDÉRAL	MONITEUR C.M.A.S 3 ÉTOILES
ÉDUCATEUR SPORTIF 1ᵉʳ DEGRÉ	ÉQUIVALENCE AVEC ▶ (A CONDITION D'ÊTRE LICENCIÉ)	MONITEUR AUXILIAIRE	MONITEUR C.M.A.S 2 ÉTOILES
	2ᵉ ÉCHELON		PLONGEUR C.M.A.S 3 ÉTOILES
		INITIATEUR CLUB	
	1ᵉʳ ÉCHELON		PLONGEUR C.M.A.S. 2 ÉTOILES
	BREVET ÉLÉMENTAIRE		PLONGEUR C.M.A.S. 1 ÉTOILE

* Fédération française d'études et de sports sous-marins, voir adresse en p. 213.

mine différents niveaux de connaissance en rapport avec l'obtention de brevets.

● **Premier niveau : plongée libre**

1 — Equipement avec masque, tuba, palmes, combinaison et ceinture
2 — Nage avec masque et tuba, vidage du tuba
3 — Nage avec masque, tuba, palmes (en surface)
4 — Palmage de sustentation
5 — Accoutumance à l'apnée (petit parcours juste sous la surface)
6 — Techniques d'immersion
7 — Equilibrage des oreilles et du masque
8 — Nage au tuba sans masque, visage dans l'eau
9 — Vidage du masque
10 — Différentes mises à l'eau (sauts)

● **Deuxième niveau : avec scaphandre**

11 — Explication succinte du matériel
12 — Règle de sécurité élémentaire en plongée
13 — Montage et démontage du détendeur
14 — Equipement du plongeur
15 — Code de communication
16 — Mise à l'eau à l'échelle
17 — Respiration sur un scaphandre avec appui (échelle, bord, petit fond)
18 — Equilibrage du masque et des oreilles (accoutumance à l'immersion, maximum 3 m)
19 — Lâcher et reprise d'embout avec appui (maximum 1,50 m)
20 — Vidage du masque avec appui (maximum 1,50 m)
21 — Remontée progressive sans embout dans les petites profondeurs
22 — Techniques d'immersion avec scaphandre
23 — Vidage du masque et lâcher d'embout sur le fond (maximum 5 m)
24 — Passage embout, tuba et vice versa
25 — Nage au tuba avec bouteille capelée
26 — Palmage en immersion — poumons ballast

27 — Respiration à deux sur un embout en remontant (maximum 5 m)

28 — Mises à l'eau par sauts avec scaphandre

● **Troisième niveau**

29 — Remontée sans embout (maximum 10 m)

30 — Décapelage et recapelage sans abandon du scaphandre (maximum 3 m)

31 — Décapelage et recapelage avec abandon du scaphandre (maximum 5 m)

32 — Echange de scaphandre

33 — Respiration à deux sur un embout à déplacement horizontal et vertical

34 — Saut masque à la main suivi du vidage du masque en immersion

35 — Descente dans le bleu jusqu'à 20 m

● **Quatrième niveau**

36 — Remontée sans embout (maximum 20 m)

37 — Perfectionnement de la nage en surface avec masque, tuba, palmes; parcours progressif chronométré; perfectionnement de la plongée libre jusqu'à 10 m

38 — Utilisation du gilet de sécurité

39 — Descente dans le bleu jusqu'à 40 m

40 — Entraînement à la remontée d'un plongeur en difficulté

41 — Apprentissage de l'orientation avec et sans instrument.

La connaissance des niveaux 1 et 2 correspond au **niveau élémentaire,** celle des niveaux 1, 2 et 3 correspond au **premier échelon,** et celle des niveaux 1, 2, 3 et 4 correspond au **second échelon.**

Belgique

En complément avec l'organigramme des brevets pour la Belgique, voici une série d'exercices pratiques établie par la F.E.B.R.A.S.*

ORGANIGRAMME DE BREVETS POUR LA BELGIQUE ENSEIGNEMENT BÉNÉVOLE

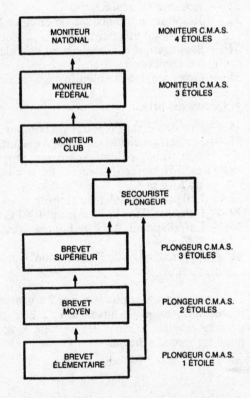

* Fédération belge de recherches et d'activités sous-marines, voir adresse en p.228.

- Pour le **brevet élémentaire,** il est demandé :

o *En plongée libre*
— Nage (200 mètres)
— Saut du bord avant
— Canard sans plombs
— Vider le masque deux fois
— 18 mètres de distance en apnée
— 30 secondes d'apnée immobile
— 15 secondes d'apnée dont 5 secondes couché sur le fond (sans plombs)
— 5 minutes couché sur le dos sans palmes et sans masque (dans l'eau)

o *En scaphandre*
— Saut du bord arrière
— 50 mètres en surface, départ tuba, prise d'embout, reprise tuba, nage (25 m)
— Vider le masque 3 fois
— 4 parcours entre deux scaphandres éloignés de 10 mètres
— 30 mètres de parcours, à deux sur un scaphandre
— Contrôle de flottabilité, décoller du fond en inspirant
— 500 mètres au tuba tout équipé
— Ecolage «détendeur»
— Remontée d'un noyé à 15 mètres, le remorquer sur 25 mètres, lui pratiquer le «bouche à bouche»

- **Pour le brevet moyen :**

o *Plongée libre*
— Vider le masque trois fois
— 45 secondes apnée immobile
— 25 mètres de distance apnée
— Descente à 7 mètres en libre

o *Scaphandre*
— Saut du bord en avant «cumulet»
— Saut du bord en arrière «assis»
— Vider le masque 6 fois en 1 minute
— 60 secondes sans masque
— 15 mètres de distance en apnée

— Nage 200 mètres sur le dos équipé
— 50 mètres masque occulté en suivant les bords
— 30 mètres par paire, masque occulté, piloté par un compagnon effectuant le passage d'embout
— 60 mètres de parcours par paire avec un scaphandre
— A quatre immobiles sur un scaphandre
— 4 parcours entre deux scaphandres distants de 15 mètres
— A 15 mètres, rester 5 minutes par paire sur un scaphandre
— Remontée sans embout de 15 mètres
— Echange scaphandre à 15 mètres
— Après plongée correcte à 40 mètres, effectuer un palier de 5 minutes à 3 mètres en eau libre
— Remontée d'un noyé de 30 mètres, le remorquer sur 50 mètres, lui pratiquer le «bouche à bouche»

● **Pour le brevet supérieur :**

○ *Plongée libre*
— Saut du bord masque à la main, le vider 3 fois
— 60 secondes apnée immobile
— 33 mètres de distance en apnée

○ *Scaphandre*
— 20 mètres de distance en apnée
— 60 mètres de parcours à 3 sur un scaphandre
— A cinq, immobiles sur un scaphandre
— 4 parcours entre deux scaphandres distants de 20 mètres
— déséquipement et équipement à 3 mètres
— 3 minutes dans vase pulvérulente
— Remontée, déséquipé, de 15 mètres
— Plongée encordée
— Assurer cordée de compagnons lors de plongée difficile
— Remontée sans embout de 40 m à 15 m
— Remontée de 40 m par paire en passage d'embout
— Remontée avec un gilet de sécurité depuis 40 m avec arrêt à 3 mètres
— Remontée d'un noyé à 40 mètres, le remorquer sur

150 mètres, lui pratiquer le «bouche à bouche»

A tous ces exercices, s'ajoutent aussi certaines connaissances théoriques, ainsi qu'un certain nombre de plongées à des profondeurs diverses.

Le matériel

Historique de la plongée avec scaphandre

Si le rêve de l'homme a été de tous temps l'exploration de la mer pour différentes raisons, l'investigation de celle-ci en profondeur a également fasciné les humains depuis des périodes très lointaines. Un des principaux soucis, après la peur viscérale de l'inconnu, du mystère insondable des fonds marins, a été celui de rester dans cet élément inhospitalier pour nous terriens avides de notre nourriture vitale : l'air.

Depuis l'antiquité, beaucoup essayèrent de résoudre ce problème d'adaptation au milieu aquatique. Il nous fallait rester ou évoluer sous l'eau un certain temps sans devoir remonter respirer. De nombreuses tentatives furent faites, soit par des inventeurs assez géniaux, soit par de logiques artisans, mais aucune solution vraiment intéressante ne fut trouvée avant le «scaphandre à casque» créé par Auguste Siebe au début du XIXᵉ siècle.

Ce type d'appareil permettant de respirer et de se déplacer sous l'eau était, on s'en doute, une grande trouvaille, basée sur le principe d'une cloche d'air immergée et alimentée de la surface. Il est encore utilisé de nos jours ce qui n'est pas peu dire quant à son intérêt.

Cependant, le manque de mobilité du scaphandrier sous l'eau, son rayon d'action limité, le poids du casque et les problèmes posés par son approvisionnement d'air depuis la surface ne satisfirent pas entièrement les chercheurs de l'époque. Il fallait inventer un système respiratoire plus pratique qui permettrait à l'homme immergé une meilleure évolution dans ce milieu. Et comme on n'arrête pas le progrès, vers 1860, l'ingénieur des mines Rouquayrol et le lieutenant de vaisseau Denayrouze mirent au point ce qui allait devenir le principe de base du scaphandre autonome actuel : **l'aérophore**.

Cet appareil pour le moins ingénieux pouvait déjà fournir à son utilisateur comme nos détendeurs modernes, de l'air respirable à la demande et à la pression ambiante. Cependant, l'air comprimé en réservoir à 30 kgs/cm^2 qui alimentait l'aérophore réduisait énormément le temps de la plongée. C'est ainsi que, malgré son gros avantage d'autonomie, le scaphandre à casque limité lui fut tout de même préféré.

Il fallut attendre 1926 pour voir le commandant Le Prieur ressortir l'invention judicieuse de Rouquayrol et Denayrouze. Les possibilités de l'air comprimé avaient augmenté en pression et étaient donc devenues opérationnelles quant au temps de plongée.

Le Prieur avait déjà équipé le plongeur d'un masque et de palmes, malheureusement son détendeur avait le gros défaut de ne fonctionner qu'en débit constant, gaspillant inconsidérément le principe même de la recherche, par la fuite de l'air vital.

Mais l'évolution encore une fois ne pouvait être interrompue, et à la fin de la seconde guerre mondiale, le scaphandre autonome réalisé par Comeinhes permit de descendre jusqu'à 50 m environ. Les progrès de la technologie moderne, en améliorant considérablement l'idée de base, avaient permis à l'homme le début de l'aventure sous-marine.

Le perfectionnement du système était encore possible, et l'officier de marine Jacques-Yves Cousteau associé à l'ingénieur Emile Gagnan, le prouvèrent en mettant au point vers 1943 le père du détendeur moderne. Cet appareil appelé **détenteur dorsal** ou à un étage avait le mérite d'être d'une grande simplicité et d'une grande sûreté de fonctionnement. L'air débité l'était uniquement à la demande, sans aucun gaspillage.

En quelques années ce détendeur connut un succès mondial. Il fut diffusé par la suite sous le nom de «Mistral» et est encore beaucoup employé de nos jours servant notamment d'atout-maître dans l'enseignement pratique de la plongée en piscine.

Vers 1960, apparut un modèle de détendeur à deux étages séparés. Il fut une suite logique du perfectionnement constant de la technique. D'autres améliorations apparaîtront encore ce qui est normal et même souhaitable, car elles contribueront toujours à ouvrir de plus en plus grandes les portes de la mer même aux amateurs les moins aguerris.

Les détendeurs

Suite à notre historique, nous constatons qu'il existe deux types de détendeur :
— à étage unique,
— à deux étages.

Détendeur dorsal ou à étage unique

Encore appelé détendeur de type *«Mistral»* ou *«Royal Mistral»*. Cet appareil est constitué d'un boîtier séparé en deux parties par une membrane.

Une des parties est étanche et permet l'entrée de l'air respirable jusqu'au siège d'un clapet taré, ainsi que sa sortie par une tubulure d'inspiration.

DÉTENDEUR MISTRAL SPIROTECHNIQUE

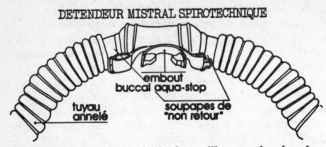

embout
buccal aqua-stop

tuyau
annelé

soupapes de
"non retour"

L'air chemine donc de la bouteille vers la chambre étanche haute pression du détendeur à travers une canalisation munie d'un bronze poreux destiné à filtrer des impuretés éventuelles (particules de rouille, saletés, etc.).

L'autre partie percée de trous, qui communique avec la tubulure d'expiration, permet l'entrée de l'eau. C'est là également que la pression hydrostatique ambiante, variant selon la profondeur, s'exerce sur une des faces de la membrane. C'est celle-ci qui, soumise soit à cette pression ambiante de l'eau, soit à l'inspiration du plongeur, soit encore aux deux en même temps agit sur un pointeau qui, via un jeu de leviers, déclenche l'ouverture du clapet permettant l'entrée de l'air, jusqu'à rééquilibrage des pressions entre les deux compartiments du boîtier.

L'air détendu est canalisé dans une buse dirigée vers la tubulure d'inspiration. La sortie provoque une légère dépression sur la membrane (appelée effet Venturi), ce qui facilite l'inspiration du plongeur. La buse empruntée par l'air se dirigeant vers la tubulure d'inspiration est percée de trous latéraux afin de limiter la dépression.

C'est par le tuyau annelé de droite, que l'air arrive à l'embout buccal. Quant à l'air expiré, il s'évacue par le tuyau annelé de gauche raccordé à la tubulure d'expiration à travers une soupape appelée «bec de canard», située au niveau de la membrane. Cette soupape pour faire office de non-retour est collée à l'inspiration et gonflée à l'expiration. De par sa position près de la membrane elle facilite une expiration sans gêne et per-

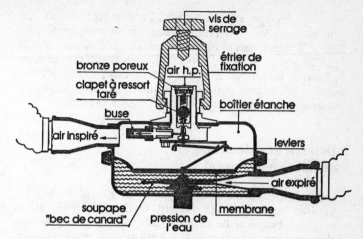

met d'éviter un débit constant de l'air. L'air expiré s'échappe dans l'eau par les orifices du boîtier.

Un embout buccal «aqua-stop» équipé de soupapes empêche une entrée éventuelle de l'eau dans les tuyaux ainsi que la réinspiration de l'air expiré. La membrane en contact avec l'eau déclenche l'arrivée d'air pour une pression d'eau de 3 g/cm², soit une profondeur de 3 cm d'eau seulement.

Afin de profiter du fonctionnement optimal de ce détendeur, il doit être placé au plus près du centre de la cavité pulmonaire, c'est-à-dire entre les omoplates. En palmant normalement regard vers le bas, le détendeur fonctionnera en dépression (il sera plus haut que les poumons). Tandis qu'en évoluant sur le dos, il fonctionnera en surpression (plus bas que le niveau des poumons). Cette position, qui augmente le débit d'air peut aider en cas d'essoufflement.

Ce détendeur qui descend (avec beaucoup d'améliorations bien sûr) de l'idée de base du «régulateur d'air» des débuts et qui a fait ses preuves depuis plus de trente ans à travers une très vaste commercialisation mondiale a tendance à être remplacé actuellement par le modèle «deux étages». S'il s'est avéré tout-à-fait fiable, robuste et simple de réglage et d'entretien, l'encombrement de ses tuyaux annelés, leur relative fragilité, sa position dorsale assez précise, ses différences de débit d'air suivant la position du plongeur, son emploi assez difficile lors de passages d'embout à deux, ont favorisé l'implantation d'un système plus pratique avec plus d'avantages, c'est ce système que nous allons voir en détail à présent.

Détendeur à deux étages ou détendeur buccal

Il est constitué de deux étages et d'un seul tuyau. Le premier qui est fixé à la robinetterie de la bouteille réduit la haute pression de celle-ci (200 bars) à une pression moyenne variant entre 7 et 10 kgs/cm^2 (suivant le type de détendeur).

Un tuyau unique relie le premier étage au second, que le plongeur maintient en bouche. Ce second étage réduit la moyenne pression à la pression hydrostatique ambiante. L'air à la pression ambiante est ainsi utilisable directement par l'utilisateur qui respire dans l'embout du détendeur.

L'air est fourni seulement à la demande, c'est-à-dire lorsque le plongeur inspire ou appuie sur le poussoir de purge. Pendant l'expiration, le second étage arrête le flux d'arrivée d'air et en même temps dirige celui-ci expiré dans l'eau, par l'intermédiaire des «moustaches».

Premier étage

● **Premier étage à piston**

C'est un piston mobile qui règle la pression du premier étage (transformation de la pression de la bouteille en moyenne pression). La tige du piston obture un orifice où débouche la haute pression, elle contrôle donc le flux d'air comprimé venant de la bouteille et passant à travers le bronze poreux servant de filtre (voir utilité plus haut).

Un côté du piston équilibre la moyenne pression de-

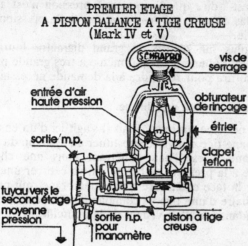

PREMIER ÉTAGE
A PISTON BALANCE A TIGE CREUSE
(Mark IV et V)

vis de serrage

entrée d'air haute pression

obturateur de rinçage

étrier

sortie m.p.

clapet teflon

tuyau vers le second étage moyenne pression

sortie h.p. pour manomètre

piston à tige creuse

l'air contre la force antagoniste d'un ressort taré et contre la pression ambiante.

Sur demande (c'est-à-dire quand le plongeur inspire), la moyenne pression chute légèrement. Cette réduction de la valeur de la moyenne pression d'air déséquilibre le piston qui, poussé par le ressort, s'éloigne de l'orifice haute pression. L'air comprimé est alors automatiquement introduit dans le second étage jusqu'à ce que l'équilibre soit rétabli.

Plus la demande est importante, plus la tige du piston s'écarte de l'orifice haute pression, permettant ainsi à une quantité d'air nécessaire, de subvenir au besoin du plongeur.

● **Premier étage à piston compensé**

Même principe de fonctionnement que pour le système précédent, mais ici la tige du piston entièrement creuse s'appuie directement par son extrémité sur le clapet et constitue elle-même la canalisation d'air vers la moyenne pression.

Cette caractéristique assure au piston une réponse précise à la demande d'air. Celui-ci est complètement équilibré, c'est-à-dire que la moyenne pression n'est absolument pas affectée par les variations de la pression de la bouteille.

De plus, un orifice de grand diamètre fournit un important volume d'air qui, même à très grande profondeur, suffira pour répondre à la demande nécessaire.

● **Premier étage à membrane**

Même principe toujours, mais il s'agit ici d'un ensemble membrane-tige qui va se substituer au système du piston coulissant. C'est l'eau pénétrant dans une chambre ouverte à la pression ambiante qui va exercer une poussée sur la face extérieure d'une membrane, qui par l'intermédiaire d'une tige va commander l'ouverture du clapet d'admission d'air venant de la bouteille.

Deuxième étage

● Comme pour le premier étage, plusieurs modèles existent mais nous attirerons l'attention sur ceux qui sont munis des **soupapes d'admission de type aval**. Grâce à ce type de soupape, l'air venant de la moyenne pression donne une assistance initiale à l'ouverture de la soupape. En outre, cette soupape agit comme sécurité dans l'éventualité rare où le premier étage laisse passer l'air haute pression dans le tuyau de moyenne pression.

La résistance à l'inspiration, à de forts débits, est éliminée par un *cône de diffusion venturi*. Ce venturi provoque une chute de dépression produit par le plongeur pendant l'inspiration. Le résultat est, qu'une fois la soupape d'admission ouverte, l'effort d'inspiration restera constant même à de forts débits ou à une très grande profondeur.

La résistance à l'inhalation d'air est habituellement réglée entre 5 et 7 cm d'eau (5 et 7 gr/cm^2). Cette résistance à l'inhalation compense la différence de hauteur entre le second étage maintenu par la bouche du plongeur et le centre de gravité géométrique de ses poumons quand il nage horizontalement. Le plongeur trouvera qu'il est légèrement plus difficile de respirer quand il se tient dans l'eau verticalement que sur le dos. Inversément, il trouvera qu'il est plus facile de respirer quand il se tient tête vers le bas.

● Différents détendeurs utilisent un **second étage réglable** qui permet au plongeur de doser précisément au cours de sa plongée la résistance à l'inspiration de son détendeur. Ceci s'effectue en vissant une molette. Si celle-ci est dévissée elle fournit à l'utilisateur une résistance à l'inspiration pratiquement nulle.

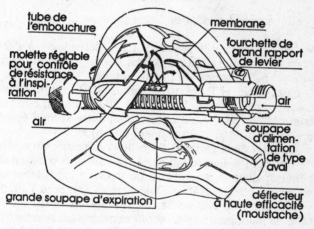

Le détendeur peut aussi être réglé par le serrage de sa molette de façon à empêcher un débit constant dans des conditions difficiles telles que celles rencontrées en entrant ou en sortant de l'eau ou hors d'un parcours au tuba afin d'économiser un peu d'air.

Sur les modèles Scubapro Air I, la molette à visser type Mark V est remplacée par un clapet à deux positions. L'une est employée avant et en début de «mise à l'eau» pour éviter qu'il ne fuse au contact du plan d'eau et l'autre est passée en cours d'immersion.

● Tous les seconds étages sont munis d'un **bouton-poussoir de débit continu** ou poussoir de purge (d'emploi très

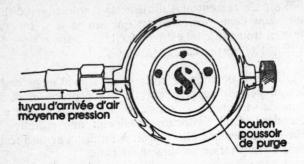

tuyau d'arrivée d'air
moyenne pression

bouton
poussoir
de purge

pratique pour les vider de leur eau avant d'y respirer).

● Un avantage très intéressant des détendeurs à deux
étages est la possibilité d'**emploi des sorties** «haute» et
«moyenne pression» du premier étage.

Une sortie H.P. et trois sorties M.P. sur une tête
rotative permettent le raccord d'un manomètre de
contrôle (sur H.P.), ou encore d'un autre second étage,
un inflateur de gilet notamment (sur M.P.).

Au sujet de la sortie H.P., celle-ci comporte un orifice
de très petit diamètre qui permet à l'air sous pression de
pénétrer dans le manomètre ou dans un calculateur de
temps de plongée (*Dive Timer*), mais empêche l'air de
s'échapper trop vite en cas de rupture du tuyau ou du
tube de manomètre (près de 40 minutes sont nécessaires
pour faire chuter la pression de 140 bars à 7 bars à travers cet orifice dans le cas d'une bouteille de 2 m^3).

● Comme nous le constatons, ce type de détendeur
offre énormément d'avantages en ne présentant finalement quasi pas d'inconvénients. Les mécanismes sont
très fiables et solides, surtout ceux des «premiers étages»
à piston. Une remarque s'impose toutefois sur ce type,
qui dans une eau très froide (± 2 à 4°C) peut **voir son
piston givrer**, suite à des inspirations fortes ou un emploi
exagéré du poussoir de purge.

A ces moments, le détendeur peut tomber en débit
constant, ce qui n'empêche pas de respirer mais est très

désagréable (perte précieuse d'air, risque d'aspiration dans l'estomac, froid aux dents, etc.). Le plongeur sent alors l'obligation de remonter et le reste de la palanquée également ce qui s'avère très gênant pour plusieurs raisons.

Une autre solution existe : celle de fermer la robinetterie de la bouteille pendant une vingtaine de secondes, après que son utilisateur ait fait sa provision d'air; ensuite la rouvrir et le débit constant aura disparu. Mais ce genre d'opération ne peut être effectué bien souvent avec un plongeur débutant, en raison de son caractère psychologique (priver le plongeur de sa source vitale par 40 m de fond, par exemple).

En vue d'éviter ces problèmes, Scubapro équipe des détendeurs utilisés dans les eaux très froides (anciennes carrières de pierre maintenant inondées, barrages, lacs, mers nordiques) de **kits spéciaux anti-givrage**, constitués de silicone entourant complètement le piston et le protégeant ainsi de tout incident dû au froid intense. Ce système, équipé également de filtres en bronze poreux à l'entrée d'eau identiques à celui servant à l'arrivée d'air, protège aussi la zone du piston des saletés éventuelles ou de sable, particulièrement des petits déchets de coraux qui pourraient la gêner dans les mers tropicales.

Finalement ce système une fois monté — valable pour deux ans avant un changement de silicone — est avantageux dans des circonstances même diamétralement opposées à celles pour lesquelles il a été initialement prévu.

Remarque : beaucoup pensent que l'évacuation des bulles d'air expiré près du visage est très gênante pour la photo sous-marine, il n'en est rien. J'ai des amis plongeurs photographes qui ont ces modèles de détendeur et qui font de splendides photos sans problème.

Entretien du détendeur

Son transport doit toujours être effectué avec grande précaution, il ne faut jamais oublier qu'en plongée notre vie en dépend directement.

○ *Après chaque utilisation en eau salée, il doit être bien rincé à l'eau douce* ou même immergé entièrement pendant quelques minutes, sans négliger, pour le premier étage, de boucher l'orifice d'entrée d'air venant de la bouteille à l'aide d'un obturateur adéquat livré avec le détendeur.

○ *Son rinçage terminé, il faut toujours enlever l'obturateur* afin de laisser respirer le filtre en bronze poreux. Si cela n'est pas réalisé, de l'humidité provenant de derrière le filtre peut y laisser des traces de rouille et ainsi fausser via le filtre, le contrôle rapide de l'état intérieur de la bouteille.

○ *Le détendeur doit être entretenu au moins une fois par an par un spécialiste*, qui le démontera, graissera les joints (o'ring), vérifiera l'état de la membrane des ressorts, etc.

A noter à ce sujet que cet entretien est pour certains fabricants une condition du maintien de la garantie.

○ *Enfin, il sera entreposé dans un endroit tempéré et à l'ombre.*

Le bloc-bouteille

La bouteille est un élément indispensable à la plongée en scaphandre, puisqu'elle constitue celui-ci en association avec le détendeur. Elle nous permet d'emmener le stock d'air indispensable à notre plongée. Ce bloc-bouteille se compose de trois éléments :
— la bouteille proprement dite,
— la robinetterie,
— le sanglage, qui permet de la maintenir sur le dos.

Les bouteilles

Elles sont en acier ou en aluminium, protégées contre la corrosion par une protection interne et externe.

Pour les bouteilles en acier, la protection interne est soit constituée par une galvanisation, une phosphatation, un vernis ou un revêtement plastique. La protection externe est également constituée par une galvanisation, un recouvrement par une couche de peinture à base de zinc ou une plastification.

Pour les bouteilles en aluminium, à l'intérieur une oxydation anodique et à l'extérieur une peinture. Normalement, elles sont peintes en «couleur voyante», assurant un maximum de visibilité sous l'eau : orange, jaune, blanche, rouge.

Leur pression de service est en principe de 200 bars.

● Le choix du modèle

Il existe plusieurs modèles de capacités différentes :
— des monobouteilles allant de 7 l à 15 l nous donnant en volume des blocs de (7 × 200) = 1.400 l ou 1,4 m³ de contenance d'air jusqu'à 3 m³.
— des bouteilles de différents volumes également allant de 2,8 m³ à 6 m³.

○ *Le poids* qui peut aller de 10 kgs pour un petit mono à 36 kgs plus ou moins pour un gros bi, doit aider à la sélection du modèle. Une plongeuse petite et mince ne peut pas se permettre une bouteille trop lourde. Même si celle-ci ne pèse quasi plus rien dans l'eau, il faut tout de même la porter avant et après. Il existe aussi pour les plongeurs de petite taille des versions courtes des différents modèles.

○ Un des critères de sélection est aussi *l'adaptation de la bouteille au type de plongée désiré*. Il est évident que pour des activités particulières comme par exemple la recherche du corail, le choix se porte sur de beaucoup plus gros volumes que pour le tourisme sous-marin normal. Par

DIFFERENTS TYPES DE BOUTEILLES

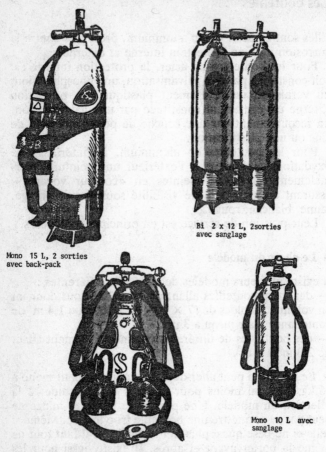

Mono 15 L, 2 sorties
avec back-pack

Bi 2 x 12 L, 2 sorties
avec sanglage

Mono 10 L avec
sanglage

Bi 2 x 10 L avec back pack

contre dans beaucoup de plongées, disposer d'un volume d'air important est toujours intéressant, surtout au point de vue de la sécurité.

D'un autre côté, si beaucoup d'air sous-entend plongée plus profonde et durée plus importante, il implique aussi évolution hors de la courbe de sécurité et paliers importants.

○ *La consommation d'air de chacun* doit aussi jouer un grand rôle dans le choix de la bouteille. Si le stock d'air du bloc dépend en grande partie du temps de la plongée et de sa profondeur, il est également influencé directement par la consommation de son utilisateur (voir dans le chapitre «Lois théoriques de la plongée», aux applications de la loi de Boyle et Mariotte, comment calculer un stock d'air et sa consommation).

La consommation de 20 l/minute est une consommation «moyenne» à la pression atmosphérique. Mais il ne s'agit que d'une approximation en vue d'un calcul de prévision. Cette consommation dépend en réalité de l'individu lui-même, de sa condition physique, de l'effort fourni pendant la plongée, de son rythme respiratoire personnel... bref, de plusieurs facteurs influencés directement par l'utilisateur et par «son» type de plongée. Se connaître en ce sens est très important, afin de faciliter la prévision lors de plongées profondes d'une réserve suffisante pour la réalisation de paliers importants.

Comme on le voit, il n'existe pas de solution vraiment passe-partout. Mais suivant les aspirations et qualités physiques de l'utilisateur, un type se verra préféré à un autre, après mûres réflexions ou conseils. Personnellement, il me semble que le mono de 3 m^3 (15 l) est un très bon compromis permettant beaucoup de possibilités.

Il faut savoir aussi que ces bouteilles sont soumises à une réglementation particulière aux récipients de gaz comprimés. En France et en Belgique, ce contrôle dépend du service des mines et comprend le respect des normes de fabrication, une épreuve hydraulique avant la mise en service et une réépreuve obligatoire tous les cinq ans. Des poinçons témoignant du respect de la réglementation et de la preuve des contrôles sont apposés sur l'ogive de la bouteille servant de véritable pièce d'identité à celle-ci.

La robinetterie

Elle est fixée sur la bouteille par un filetage avec un joint
d'étanchéité. Elle est en laiton chromé et en acier inoxydable. Elle comporte :
— un siège de raccordement pour le détendeur, percé en
son centre d'un orifice entouré d'un joint (O'ring) destiné à l'étanchéité, — un mécanisme d'ouverture ou de
fermeture permettant le passage de l'air,
— un système de déclenchement de la réserve.

● **Le système de réserve** est une sécurité. Il avertit le
plongeur par une gêne respiratoire, qu'il ne lui reste plus
qu'une certaine pression d'air, prévue à l'avance et
réglée par un dispositif de clapet à ressort taré.
   Quand la pression diminue en général en dessous de
30 kgs/cm^2, le passage de l'air est bloqué par ce dispositif
mécanique. Il suffit alors, pour pouvoir disposer de cette
réserve d'air, d'abaisser un levier par l'intermédiaire
d'une tige métallique d'accès facile. Pour pouvoir disposer de cette sécurité de réserve, il faut, lors du charge-

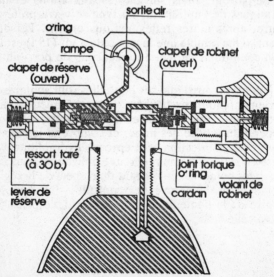

MODELES DE ROBINETS

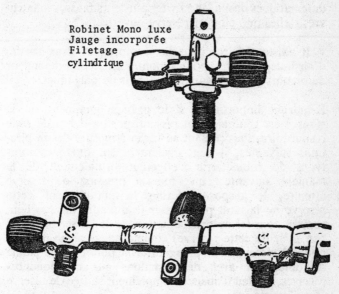

Robinet Mono luxe
Jauge incorporée
Filetage
cylindrique

Robinet pour Bi Scuba - 1 sortie et 1 réserve

ment de la bouteille, effectuer celui-ci levier vers le bas et dès que le remplissage est terminé, ne pas oublier de bien remonter la «tige de réserve» vers le haut.

● Dans les pays anglo-saxons et influencés par les américains, il est courant de plonger sans réserve sur la bouteille, mais avec un **manomètre** fixé sur la haute pression du détendeur.

Il est certain que ce système en plus de la réserve est très sécurisant. En cas de fausse manœuvre, par exemple lors d'un saut d'un bateau en dur, la réserve peut rester accrochée et le plongeur croit pouvoir compter sur elle alors qu'elle est ouverte ; cela peut amener des conséquences dramatiques. En ce sens, si on n'opte pas pour le manomètre en plus, il faut toujours contrôler en début de plongée et ensuite en cours de celle-ci si on éprouve un doute, la position de la tige.

● Certaines bouteilles sont équipées de **réserves semi-automatiques** destinées à éviter plusieurs fausses manœuvres, telles que plonger réserve ouverte...

● Il existe des robinetteries comprenant **deux sorties d'air indépendantes,** pour y monter un second détendeur de secours (cas des moniteurs, chefs de palanquée).

Remarque importante : si le passage imminent sur la réserve est généralement ressenti par un début de gêne respiratoire, s'accentuant au fur et à mesure des inspirations suivantes, il peut également sur quelques rares types de robinetterie s'effectuer brutalement de la manière suivante : une fois la pression de réserve atteinte, le dispositif ferme hermétiquement cette réserve ne laissant plus passer le moindre air (au lieu, comme pour les autres robinetteries, de laisser filtrer un peu d'air de cette réserve) comme aucun signe ne l'annonce auparavant, le plongeur croit plutôt à une panne de détendeur avec des réactions aux conséquences diverses, au lieu d'abaisser simplement sa tige de réserve afin d'ouvrir celle-ci.

Pour éviter ce genre de problèmes, il vaut mieux bien se renseigner à l'achat d'une nouvelle bouteille ou lors d'une location ou d'un prêt.

Le sanglage

Pour maintenir la bouteille sur le dos, il existe deux procédés employés couramment.

● Le sanglage classique

Il est constitué par deux sangles d'épaule réglables fixées au-dessus de la bouteille à un cerclage adéquat, à l'aide de mousquetons, et en-dessous au culot du bloc.

Pour empêcher la bouteille de rouler sur le dos, ce style de fixation est complété d'une sangle d'entrejambe appelée «sous-cutale», réglable et fixée par un œilleton à un ergot prévu sur la ceinture de lest. Une autre variante de la fixation latérale de la bouteille est le sanglage ventral.

Remarque : Ces types de fixations, sont l'un comme l'autre imparfaits, car ils n'empêchent pas totalement le bloc-bouteille de rouler, surtout en ce qui concerne les monos. Par ailleurs, serrer fortement la «sous-cutale», afin d'éviter ce problème, s'avère très désagréable à la longue.

● Le back-pack

C'est une pièce de plastique en dur épousant la forme du dos et servant de point de fixation du sanglage qui y coulisse. Son avantage : une bonne stabilité de la bouteille sur le dos en se passant d'une «sous-cutale». Son désavantage : une difficulté à s'équiper de la bouteille dans un espace exigu comme un bateau pneumatique par exemple.

Encore une fois chacun fera son choix suivant ses propres aspirations, mais il nous semble tout de même que dans le cas d'un bi, mieux équilibré sur le dos de par sa propre conception, le sanglage classique sera plus judicieux.

Signalons que certaines bouteilles sont équipées par

Back pack Mono et Bi Scuba

leur propriétaire du lestage et même du gilet de sécurité. Les plombs sont placés dans deux containers situés de part et d'autre de la bouteille et munis d'un système de largage rapide.

Le gilet Scubapro appelé «stabilizing-jacket» est fixé directement sur le back-pack avec lequel il fait corps. Ce système qui est amovible pour le transport aisé de la bouteille est réglable en fonction du volume de l'un ou l'autre bloc (2,4 m^3 ou 3 m^3).

Entretien du bloc-bouteille

Comme nous l'avons expliqué plus avant, une réépreuve hydraulique est obligatoire tous les cinq ans, mais une vérification optique est souhaitable tous les deux ans.

○ *La robinetterie est démontée* et, à l'aide d'une petite lampe passée à l'intérieur de la bouteille, on en vérifie les parois. Si une trace d'oxydation est décelée, on peut y remédier immédiatement, empêchant ainsi la situation de se détériorer et évitant la très mauvaise surprise d'une bouteille refusée pour «non-conformité» au contrôle hydraulique.

○ En plus, *le filtre en bronze poreux* de la robinetterie peut être changé, *les O'ring* regraissés et *la réserve* vérifiée.

○ *Certaines précautions sont à prendre dans les transports de la bouteille,* pour la protection de sa couleur extérieure.

○ *Un rinçage à l'eau douce* est également le bienvenu après une plongée en mer pour prolonger le plus possible la vie des colliers, des attaches de sanglage et du culot.

Le remplissage des bouteilles

Il s'effectue via un appareil indispensable à cet effet : **le compresseur**. Il emmagasine dans la bouteille un air respirable comprimé haute pression ($\pm$ 200 kg/cm^2). Pour atteindre cette pression d'air ainsi qu'une pureté rigoureuse de celui-ci, il faut un appareil entièrement conçu à cet effet, disposant de trois étages de compression, ainsi que d'une succession de filtres.

Les compresseurs existent en version électrique, essence ou mazout. La plus intéressante pour le plongeur amateur qui veut s'en servir dans des régions où l'on ne rencontre pas de centre de gonflage, ou sur un bateau, est la version essence*. Il en existe de petits modèles fort maniables, qui ne pèsent que 35 kg et sont peu encombrants (exemple : Bauer Varius, 55 long × 35 large × 40 haut).

Pour leur emploi, il faut se référer à la notice du fabricant, mais en insistant tout de même sur le fait de toujours bien éloigner l'orifice d'admission d'air de la sortie des gaz d'échappement du moteur.

Le respect du rythme de purges ainsi que le renouvellement régulier des matières filtrantes est également très important.

Instruments de contrôle

Les manomètres

Ils existent en deux versions :
— étanche à emmener en plongée, fixé au premier étage du détendeur sur la sortie H.P.
— «terrestre», à employer exclusivement en surface.

● **Cette version «surface»** sert à vérifier la pression de chargement du bloc-bouteille avant ou après la plongée.

* Les modèles au mazout ne sont fabriqués que pour les gros débits, sont très lourds à déplacer et très onéreux.

Ce manomètre se compose d'un cadran de lecture exprimé en kg/cm^2 qui est vissé sur un étrier permettant de le fixer sur la robinetterie du bloc-bouteille. Il est doté d'une purge par bouton moleté, afin d'en éliminer l'air sous pression lorsqu'on veut le retirer du bloc.

DIVERS INSTRUMENTS DE CONTROLE

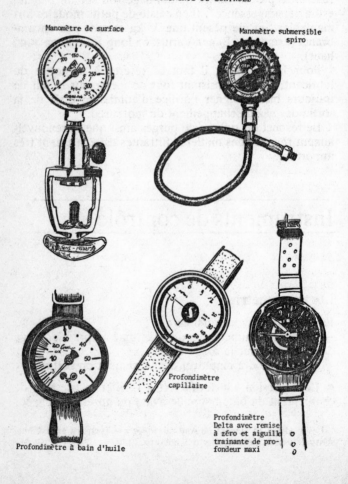

Manomètre de surface

Manomètre submersible spiro

Profondimètre à bain d'huile

Profondimètre capillaire

Profondimètre Delta avec remise à zéro et aiguille trainante de profondeur maxi

● **La version étanche** permet non seulement le même travail que la «terrestre» en surface, mais elle indique aussi constamment en cours de plongée la réserve d'air dont on dispose, ce qui est une information précieuse. Pour y arriver, comme elle dépend du détendeur, il faut donc monter celui-ci sur la bouteille.

Comme nous l'avons déjà vu au chapitre des bouteilles, les anglo-saxons qui plongent sans «réserve» se munissent toujours de ce type de manomètre.

Dans le cas du manomètre submersible classique, le plongeur connaissant le nombre de kg/cm^2 qui reste à sa disposition doit, s'il veut connaître le temps qui lui reste pour poursuivre ou terminer son immersion, le calculer (voir les lois de la plongée).

Afin d'éviter ce calcul qui peut perturber l'activité subaquatique, il existe un appareil, qui est le *calculateur automatique compensé du temps de plongée* (dive timer). Celui-ci donne par lecture directe, la réserve de temps (exprimé en minutes) dont on dispose, à la profondeur à laquelle on se trouve. Il est prévu pour être utilisé avec des bouteilles de 10, 12, 15 et 20 litres.

Le profondimètre

C'est l'appareil qui, comme le mot le dit, nous indique la profondeur atteinte. Il est donc indispensable avec la montre pour permettre le contrôle de la plongée en sécurité. Il en existe trois modèles.

● **Le capillaire :** le plus simple, muni d'un tube capillaire circulaire qui est ouvert d'un côté et fermé de l'autre. Lorsque l'eau y pénètre, elle chasse l'air. La colonne d'eau correspond alors, compte tenu de la pression, aux graduations extérieures déterminant la profondeur.

On voit que s'il est très rudimentaire, il n'est malheureusement pas toujours très fonctionnel. En effet, il est très sensible aux différences thermiques, pas toujours lisible en profondeur, et surtout, lors d'une immersion trop rapide de son possesseur, l'air contenu dans son tube capillaire peut littéralement éclater au moment de l'impact avec le plan d'eau. Ce mélange de petites bulles d'air et d'eau fausse complètement la lecture de ce profondimètre.

Pour qu'il soit tout à fait opérationnel, il faut que le plongeur immerge son bras très lentement. Ceci, vous vous en doutez est très souvent impossible lorsqu'on saute d'un bateau ou que la mer est un peu houleuse. Par contre, comme il est basé sur la Loi de Boyle et Mariotte, les graduations indiquant les petites profondeurs sont très espacées donc très lisibles.

Nous voyons de ce fait qu'il est très complémentaire à d'autres types de profondimètres.

● **Le profondimètre à bain d'huile :** il est constitué d'un «tube de Bourdon» qui est relié à l'aiguille du cadran d'un manomètre. L'ensemble est dans un boîtier étanche et rempli d'huile. Ce boîtier communique au tube de Bourdon les effets de la pression ambiante extérieure. Ces profondimètres sont en général fort précis, ils existent à cadran lumineux ou non. Certains modèles ont cependant une lecture assez difficile car les graduations marquant les petites profondeurs sont très rapprochées.

● **Le profondimètre à membranes :** il s'agit d'une capsule rigide semi-étanche munie d'une membrane déformable qui est sensible à la pression de l'eau et qui communique ses variations à l'aiguille de profondeur.

Afin d'éviter toute influence néfaste due au froid, certains fabricants ont muni leur modèle d'une double membrane, ce qui conserve une grande précision à la lecture.

Il existe aussi sur certains modèles une aiguille traînante, qui à zéro se trouve tout à fait parallèle à celle indiquant la profondeur. Au fur et à mesure de la descente, elle sera poussée par celle-ci; par contre, dès que le point le plus bas est atteint, elle reste sur place en témoignage. Elle est un excellent aide-mémoire aux plongeurs «distraits» dans le calcul des paliers de sécurité.

Ce genre d'appareil existe avec cadran lumineux ou non et la lecture des petites profondeurs est très aérée. Pour certains profondimètres que nous dirons très complets, il existe dans le cas de plongée en altitude une possibilité de remettre l'aiguille à zéro avant de plonger.

Rappelons que tous ces appareils sont assez fragiles et qu'ils doivent être traités comme tels.

Le profondimètre se place en général sur le bras gauche, à côté de la montre, mais peut aussi être fixé à l'avant du gilet de sécurité ou inclus dans une console avec le manomètre de pression d'air et le compas.

La montre

C'est un accessoire indispensable du plongeur en sca-phandre car elle est un élément de sécurité vital. En effet, en vue du respect des lois physiologiques de la plongée (voir chapitre précédent), elle permet au plon-geur par son association au profondimètre, le contrôle rigoureux du rapport durée-profondeur, ainsi que la véri-fication éventuelle du temps passé au palier de décom-pression. Donc, nous voyons que son importance est réellement primordiale.

A cette fin, il ne faut pas lésiner sur le choix de la montre. Les plus chères ne sont pas spécialement les meilleures, mais elles doivent répondre à certains impératifs comme :
1 — une étanchéité absolue (cela va de soi, mais...),
2 — une grande précision du mouvement,
3 — une possibilité précise de mémoriser l'écoulement du temps, soit par la mise en marche d'un chrono, soit par le jeu d'une lunette tournante graduée de 0 à 60 minutes à partir d'un repère. En plaçant en début de plongée le repère zéro en face de l'aiguille des minutes de la montre on sera tenu au courant de la durée de la plongée en cours.

Cette lunette qui se trouve en général à l'extérieur de la montre (pour certains modèles, elle peut être à l'intérieur) doit être bien crantée afin de ne pas bouger à la moindre fausse manœuvre ou frottement sur le costume. Son placement ne doit pouvoir s'effectuer qu'à sens unique, dans la direction de la majoration du temps, donc de la sécurité.

Dans ces modèles de montres comme dans beaucoup d'autres, le quartz tend de plus en plus à s'imposer. Il existe aussi des modèles digitaux à multi-fonctions, très intéressants quant à leur prix, mais à déconseiller pour les eaux très froides.

Un conseil encore, n'achetez une marque de montre que si vous êtes certain d'un service après-vente garanti et de sa représentation dans les villes près de vos endroits de plongée favoris, sinon en cas d'ennuis, le premier jour de vacances, vous verrez que l'achat d'un nouveau modèle entamera terriblement votre budget.

Le compas

Il n'est pas vraiment nécessaire au débutant, qui dépend dans ses évolutions aquatiques du chef de palanquée et du serre-file, il est extrêmement utile au guide de la plongée afin de s'orienter correctement.

On peut très bien être un plongeur confirmé et cependant éprouver de grosses difficultés d'orientation, notamment dans des eaux troubles, dans des sites inconnus et bien entendu dans les plongées de nuit.

Ce compas ou boussole est vraiment utile lorsqu'il s'agit d'éviter :
— de se perdre,
— de devoir revenir en surface pour retrouver le bateau en cas de mer formée (dans ces conditions on se déplace mieux en plongée qu'en surface),
— de lutter inutilement dans un courant contraire,
— de rater la chaîne d'ancre lors d'une remontée où des paliers de décompression sont tout à fait nécessaires.

Voilà quelques exemples, il y en a d'autres mais de toute façon cet instrument s'avère être d'une très grande utilité et d'une sécurité importante.

Il en existe, une fois de plus, plusieurs types mais ils doivent répondre aux normes suivantes :
— une bonne étanchéité,
— une grande luminosité,
— être très lisibles.
Il est conseillé par ailleurs d'en acquérir un doté d'une part d'une couronne graduée, crantée, d'autre part d'une visée horizontale pour faciliter le bon maintien du cap choisi. Le compas se place à côté de la montre et du profondimètre sur le bras gauche ou incorporé dans une console à plusieurs éléments.

DIVERS INSTRUMENTS DE CONTROLE

Compas Suunto

Compas LS1 Scuba

Montre de plongée

Decompressimètre
DCP

Decompressimètre S.O.S.
DCK avec échelle à lecture
linéaire et mémoire

Le décompressimètre

Il doit être considéré comme une pièce d'équipement complémentaire. Il peut remplacer, dans le calcul de la décompression à effectuer par le plongeur, les instruments de mesure combinés, montre et profondimètre.

Cet appareil fonctionne d'après un principe analogue à celui de la physiologie humaine dans l'absorption et l'élimination des gaz par les tissus. Il nous signale donc si nous sommes toujours dans la courbe de sécurité ou non (voir le chapitre sur les tables de plongée) et si nous devons effectuer un palier de décompression, ainsi que sa durée.

En outre, dans le cas d'une plongée successive, comme le décompressimètre est basé sur un même principe de réaction — au point de vue absorption et élimination — que le corps humain, il va mémoriser la première plongée et de ce fait en tenir compte. Son utilisateur peut donc s'y référer quant à son handicap de saturation, avant de se remettre à l'eau pour la deuxième fois de la journée.

Il est également intéressant dans les cas de plongée où l'on reste à peine à la profondeur maximale atteinte, et d'où l'on remonte quasi tout de suite (car il n'y a pas d'intérêt à y rester) pour passer et terminer la plongée dans des fonds moins importants. Le plongeur qui utilise le décompressimètre dans ce genre de plongée n'est pas systématiquement soumis aux paliers de décompression qui envisagent mathématiquement durée de plongée et profondeur maximale atteinte. Il connaît alors son état d'absorption réel par rapport à «sa» plongée.

Malgré ses nombreux avantages, cet appareil connaît beaucoup de détracteurs. On lui reproche de lui confier notre vie alors qu'il n'est qu'une mécanique qui peut défaillir, qu'il est aussi basé sur la réaction d'un seul tissu (bien qu'il en existe actuellement basés sur quatre), que son mécanisme n'est fondé que sur un fonctionnement théorique moyen et cela sans tenir compte des différences physiologiques d'un individu à l'autre, de la température de l'eau, de la condition physique du plongeur et de ses réactions propres de ce jour.

Comme le conseille la notice d'emploi, beaucoup de plongeurs ainsi que moi-même l'avons souvent utilisé en parallèle avec la montre et le profondimètre en plus de notre contrôle par les tables de décompression. Il est par conséquent un excellent moyen d'**informations complémentaires** aux autres appareils de contrôle indispensables au bon déroulement de la plongée.

La console

Elle se présente sous forme d'un boîtier à deux ou trois orifices. Il comprend toujours un orifice ou logement pour le manomètre H.P. relié au premier étage du déten-

Console à 2 éléments
manomètre et profondimètre

Console à 3 éléments
- manomètre
- compas
- profondimètre

deur ainsi qu'un autre pour le profondimètre. Dans la version triple, le troisième logement est attribué au compas.

Pour ne pas gêner le plongeur dans ses évolutions, la console est fixée par une lanière munie d'un clips à une des sangles du bloc-bouteille. Cette solution de groupement des instruments a le mérite de libérer les bras et de faciliter le contrôle de lecture du plongeur.

Les gilets ou bouées de sécurité

Encore appelés bouées de compensation. Ils répondent à un double but.

● **Premier but : assurer la sécurité de leur utilisateur**

Soit en surface, en y faisant office de bouée, avant d'entamer la plongée ou au retour de celle-ci ; soit en immersion, où en cas de problème il joue le rôle de véritable «parachute ascensionnel du plongeur».

Celui-ci en difficulté, même après le largage de sa ceinture, n'est pas certain de remonter par ses propres moyens, ni de remonter un compagnon en difficulté. Il fait alors appel à son gilet qui une fois gonflé à l'air comprimé ou au CO_2 lui permet d'effectuer sa remontée, pratiquement sans faire d'efforts.

Attention, dans ce cas la remontée doit être absolument contrôlée car si elle peut tirer le plongeur ou son compagnon d'une très mauvaise situation, sa vitesse incontrôlée peut provoquer des accidents extrêmement graves (voir chapitre des lois et des accidents).

Pour ces raisons, le gilet ne peut être employé par des plongeurs débutants qui n'en ont pas encore maîtrisé la technique. Ceci est valable non seulement en cas d'accident, mais aussi lors d'une remontée normale au gilet. Celle-ci doit être contrôlée régulièrement afin qu'elle ne dépasse pas la vitesse de 17 ou 18 m minute. A cette fin le gilet doit être régulièrement purgé.

En cas de panne d'air, le plongeur peut, tout en-

remontant, y respirer à l'aide du tuyau muni d'un embout qui y est rattaché. Mais attention, ceci à la condition qu'il ait bien été rempli à l'**air** et non pas avec une cartouche de CO_2; ce qui représenterait un danger mortel.

Précisons quand même à ce sujet que les modèles à cartouche de CO_2 sont plus rares. On les trouve dans les gilets de chasse ou dans la bouée américaine «stabilizing jacket» celle-ci pouvant s'employer munie de ces cartouches ou non.

● **Deuxième but : assurer aisance et confort à son utilisateur**

Exemple : pour effectuer facilement un palier de décompression en pleine eau, à 3 m, nous devons être suffisamment plombé (le nombre de kgs de plombs varie d'un individu à l'autre). L'évolution en profondeur, va, par conséquent, s'effectuer assez lourdement; pour l'éviter il suffit d'injecter un peu d'air dans le gilet et on se sentira immédiatement plus léger donc mieux.

Dans le cas où l'on aurait ajouté trop d'air, on se sent décoller, il suffit alors d'employer le tuyau de purge pour y remédier.

Le gilet est donc en ce sens un vrai régulateur de lest. Il devient la vessie natatoire du plongeur. Il est aussi un accessoire extrêmement précieux pour le plongeur photographe.

Les modèles de gilets

On en distingue trois versions :
— celle qui se remplit à l'aide d'une petite bouteille fixée au bas du gilet par un étrier,
— celle qui se gonfle par un inflateur,
— une combinaison des deux premières.

Plusieurs modèles existent, pour chaque type, assez semblables quant à leur forme, volume et emploi. Ils se placent sur la poitrine en passant autour du cou. Ils sont maintenus par une sangle d'entrejambe et une ceinture

TYPES DE GILETS OU BOUEES DE SECURITE

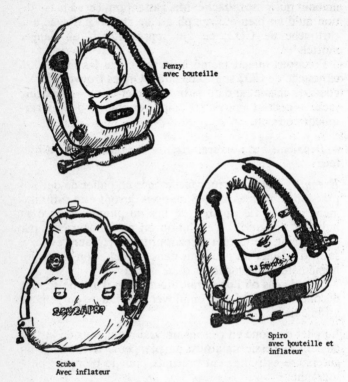

Fenzy
avec bouteille

Scuba
Avec inflateur

Spiro
avec bouteille et
inflateur

et sont munis d'un tuyau de gonflage buccal (dans lequel on peut respirer et expirer) qui sert également de vidange.

● **La première version** est donc alimentée par une petite bouteille gonflée en air comprimé, celui-ci étant prélevé sur le stock du bloc-bouteille en général avant de plonger. Cette version est dotée d'une purge de vidange rapide servant en même temps de sécurité en cas de surpression dans le gilet.

● **Dans la deuxième version**, le gilet est alimenté par un inflateur qui permet de le gonfler directement en s'approvisionnant sur le volume du bloc-bouteille via la moyenne pression du détendeur.

Ce système d'inflateur d'air est très pratique à l'emploi. En effet, associé au bouton de purge, il permet par une simple pression du doigt une entrée d'air à la demande, très bien contrôlée et sans gaspillage ce qui n'est pas souvent le cas pour le système de remplissage «petite bouteille».

Comme la purge fonctionne par la pression du pouce, le tout se trouve dans la main gauche dépendant seulement de deux doigts et laissant le libre usage de la main droite. Ceci est très facile pour remonter quelque chose ou un compagnon en difficulté tout en contrôlant aisément la remontée.

• **Troisième version** : comme on pourrait critiquer cette version (régulièrement employée aux Etats-Unis d'ailleurs), en lui reprochant qu'en cas de panne d'air au fond le gilet n'est quasi plus d'utilité, les fabricants ont créé un modèle dit de sécurité où l'on trouve une combinaison «petite bouteille» et inflateur.

Ajoutons que ces deux derniers modèles sont aussi équipés d'une purge de vidange rapide et de surpression. Ces gilets sont en général de couleur voyante orange ou jaune. Ceci pour un impératif de sécurité : on n'est jamais assez repérable sur l'eau.

Ces gilets peuvent être munis de poches dans lesquelles on insère notamment les tables de décompression à emporter en plongée, ainsi que le décompressimètre si on l'utilise.

• **La stabilizing-jacket** : les Américains avaient sorti un gilet portant le nom de Control Pack. Il était fixé sur le back-pack du bloc-bouteille (voir chapitre matériel, le bloc-bouteilles). Il est maintenant remplacé par un autre modèle, la stabilizing-jacket.

Celle-ci a la particularité de s'enfiler comme une veste. Elle comprend le back-pack et se fixe sur la bouteille par une sangle réglable. Cette particularité la rend facilement amovible, ce qui est utile lors du transport de la bouteille ou du dépôt de celle-ci en vue de son gonflage. En plus elle s'adapte sur des monos de différents volumes, par simple serrage de la sangle. Elle existe également en version pour bi-bouteille.

Une de ses originalités provient du fait que l'ensemble bouteille - stabilizing jacket gonflée peut être mis à l'eau et y attendre le plongeur. Celui-ci dispose alors de plus de place, à bord de son bateau pneumatique pour terminer son équipement

En cas de palmage en surface, exigeant un gros effort, on peut l'enlever et se servir du combiné bloc-gilet comme d'une bouée. Elle est extrêmement confortable de par sa constitution et comprend le plus gros volume des gilets actuels du marché.

La stabilizing-jacket se trouve en deux versions : inflateur seul ou combiné avec une «petite bouteille». On

Mono équipé d'une stabilizing jacket gonflée

A.I.R.II
Système d'inflateur et détendeur combiné

peut, comme cité plus haut, l'équiper de deux cartouches de CO2 supplémentaires. Elle est également pourvue d'une purge rapide et de surpression et existe (puisqu'elle se met comme une veste) en 4 tailles.

● Signalons, pour terminer, l'apparition sur le marché de la plongée d'un appareil appelé A.I.R. II (alternate inflator regulator) vendu par la firme américaine Scubapro.

Son avantage consiste à être en même temps un inflateur d'air et un détendeur de secours, ce qui est à la fois très pratique et offre une grande sécurité à son utilisateur. De plus, ce système permet d'éviter l'emploi d'un second détendeur de sécurité, donc l'encombrement d'un tuyau en plus.

Compte tenu des gros avantages des gilets, ceux-ci ne peuvent être considérés seulement comme un accessoire dans l'équipement du plongeur. Même s'ils se révèlent assez onéreux à l'achat, lorsqu'on a pris l'habitude de plonger avec eux, on ne peut plus s'en passer.

Beaucoup de plongeurs l'ont très bien compris, c'est pourquoi l'usage des gilets tend à se généraliser considérablement. À ce titre, rappelons que la F.F.E.S.S.M. oblige leur port par tous les moniteurs et chefs de palanquée.

Le costume

Costume du type humide

Comme les conditions de vie dans l'eau sont totalement différentes de celles dans l'atmosphère et la déperdition calorifique beaucoup plus grande, le costume s'avère donc une pièce primordiale à notre confort et à notre sécurité. Il doit être choisi chaud, c'est-à-dire épais et solide; soit en monopièce ou deux-pièces.

● **Le monopièce**

Facile à enfiler, comme une salopette, il est muni, de préférence, de coutures étanches qui évitent à chaque mouvement la possibilité d'entrée d'eau froide, chassant celle déjà réchauffée au niveau du corps et maintenant celui-ci à la bonne température.

Pour être très facile à enfiler, le monopièce est doté de 5 tirettes, une sur chaque bras, une sur chaque jambe et une grande au milieu.

La cagoule doit être d'une pièce avec le costume et venir assez bas sur le front pour bien protéger le haut des sinus, elle doit pouvoir toucher le haut du masque.

Le costume doit également épouser la forme du dos et bien serrer surtout aux extrémités, afin, toujours, d'empêcher d'importantes infiltrations d'eau.

Il est préférable de le prendre doublé nylon pour des raisons de solidité. Il résiste beaucoup mieux aux ongles lors de son enfilage, ainsi qu'aux accrocs et déchirures dus éventuellement aux rochers et autres aspérités. En ce sens, le port de genouillères par dessus le pantalon s'avère une excellente protection.

Pour en revenir à son épaisseur, elle doit être à peu près de 7 mm et le néoprène doit être de première qualité, d'une texture très serrée, afin de se déformer et de s'écraser le moins possible sous l'effet de la pression hydrostatique ambiante. Si le néoprène est épais, mais très ajouré, donc ne résistant pas bien à la pression, à 40 m au lieu d'être protégé par un costume de 7 mm on se retrouve encore avec 2 mm peut-être et on «gèle» littéralement.

La cagoule doit être de préférence voyante — rouge ou comprenant une large bande de cette couleur — afin d'être assez repérable sur l'eau pour des questions de sécurité.

DIFFERENTES PIECES D'HABILLEMENT

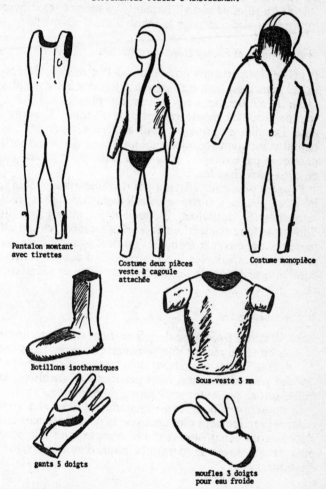

Pantalon montant
avec tirettes

Costume deux pièces
veste à cagoule
attachée

Costume monopièce

Botillons isothermiques

Sous-veste 3 mm

gants 5 doigts

moufles 3 doigts
pour eau froide

• Le deux-pièces

Il comprend un pantalon montant jusqu'au milieu de la poitrine, maintenu par des bretelles et doté également de fermetures éclairs sur le bas de jambes. Il est complété de la veste avec cagoule attachée par une fermeture éclair. Au sujet de son ajustement, les mêmes remarques sont à formuler que pour le monopièce.

● **Avantages et inconvénients respectifs**

Il existe des partisans pour l'un ou l'autre type de costume, mais il est bien certain que si le monopièce est plus facile à mettre, le deux-pièces est plus chaud (nous sommes tout de même couverts de 14 mm). Il permet aussi l'emploi de l'une ou l'autre pièce séparément : le pantalon montant (ou «long john»), pour d'autres sports nautiques par exemple, et la veste seule pour la plongée en eaux plus chaudes.

Pour les personnes n'ayant pas de taille «mannequin», le deux-pièces s'ajuste généralement mieux et sans retouches. Si, toutefois, ils veulent un monopièce, ils doivent le faire confectionner à leurs mesures, ce qui est nettement mieux, car même si l'on peut souvent faire des retouches très valables, un costume bien adapté est une condition primordiale de plongée agréable et sécurisante.

● **Les sous-vestes**

Si on a encore froid avec de tels costumes, on a toujours la possibilité de mettre une sous-veste en plus. Elles ont en général 3 mm, se mettent directement sur la peau et ont des petites manches, elles peuvent soit s'arrêter à la taille, soit se présenter sous forme de bermuda.

Si vous optez pour cette seconde solution elle vous coûtera certainement plus cher que la première, mais elle s'avérera un achat plus rentable compte tenu que vous pourrez employer le bermuda pour d'autres activités nautiques.

Beaucoup de candidats plongeurs pensent qu'avec un costume de 14 mm, ils vont avoir trop chaud, en Méditerranée par exemple. En se préparant hors de l'eau sous un soleil de plomb, et en transportant le matériel dans le bateau, il est certain qu'on a tendance à étouffer et que c'est très pénible.

C'est souvent le moment où l'on se dit : «*Pourquoi ne pas avoir choisi un autre sport. Mais que fais-je ici, j'étais si bien sur la plage tout-à-l'heure, à l'ombre du parasol, sirotant un rafraîchissement glacé en regardant de jolies filles s'ébattre au bord de l'eau...*» Qu'à cela ne tienne!.

Si on doit donc s'embarquer portant le costume car l'embarcation est trop exiguë pour s'équiper à deux ou plusieurs «sur» l'endroit de plongée — il est nécessaire de se tremper costume bien ouvert afin de se rafraîchir. Sinon, on risque d'être trop incommodé et d'attraper un mal de mer beaucoup plus rapidement par exemple.

Une fois en plongée et surtout plus bas que 20 m, cet équipement sera le bienvenu, surtout si la plongée est relativement longue. Il ne faut pas oublier, qu'été comme hiver, la Méditerranée ne dépasse pas 14°C en profondeur. Ce n'est qu'au niveau du palier avoisinant la surface qu'elle se réchauffe en été.

Il est bien certain que tout ceci est très relatif et dépend toujours plus ou moins du tempérament frileux ou non de chacun.

Costume du type sec à volume variable

Il est employé par les plongeurs professionnels ou dans la plongée sportive par des utilisateurs expérimentés afin de bénéficier d'une excellente isolation thermique dans des eaux très froides.

De type monopièce et étanche, il est fabriqué en deux qualités : soit une matière souple et relativement mince, non isothermique et devant être accompagnée alors de sous-vêtements chauds; soit en néoprène épais comme les vêtements humides.

Pour éviter son placage douloureux sur le corps, dû à la pression ambiante, son équilibrage constant est assuré par un inflateur branché entre le premier étage du détendeur et une soupape d'évacuation.

Cette possibilité de volume variable fait également

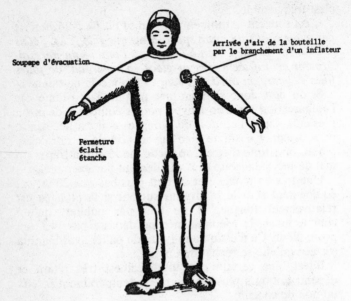

Soupape d'évacuation

Arrivée d'air de la bouteille
par le branchement d'un inflateur

Fermeture
éclair
étanche

office de gilet de sécurité. C'est pour cette raison et pour des détails importants de manutention qu'il s'adresse à des plongeurs confirmés.

Le masque

Il en existe plusieurs types que l'on peut grouper en deux catégories :
— *les masques à nez inclus,* avec bossages en creux à la partie inférieure permettant de se pincer l'appendice nasal avec les doigts pour compenser. Dans ce style, on trouve les ovales et les panoramiques, le choix étant encore laissé à l'appréciation et au goût de chacun.

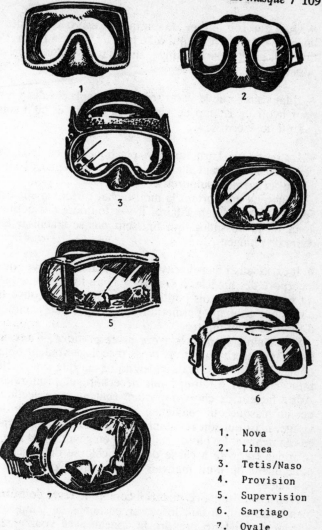

1. Nova
2. Linea
3. Tetis/Naso
4. Provision
5. Supervision
6. Santiago
7. Ovale

— *les masques avec nez séparé* : ce modèle semble avoir le plus de succès à l'heure actuelle. Ce type de masque tend à devenir de plus en plus petit afin de pouvoir le vider très facilement, ce qui est tout de même très utile.

● Quel que soit le type de masque choisi, on a toujours intérêt à en prendre un qui **colle bien au visage** à l'inspiration sans le fixer par sa sangle, ainsi il sera le plus étanche possible.

● Il faut aussi que le verre soit **assez rapproché des yeux** pour avoir un champ de vision très étendu et qu'il soit garanti de «sécurité».

● La partie de l'armature en plastique ou en inox **ne peut toucher le haut du nez**, car cela devient très vite gênant et même douloureux.

Pour ceux qui portent la moustache, surtout si elle est épaisse, il n'y a rien à faire, il y a toujours des petites voies d'eau possibles, qui finissent par se stabiliser en cours de plongée.

● Il existe aussi dans le cas des grands masques avec nez incorporé des **modèles à soupapes**. On a foré dans le bas du verre deux à trois petits trous et on les a recouverts d'une fine soupape permettant au plongeur en expirant d'éliminer l'eau infiltrée.

Si cet aménagement s'avère assez pratique, il est en tout cas proscrit dans tous types d'écolage voulant nous obliger à faire l'effort de vider notre masque sans cette astuce, ce qui est tout-à-fait nécessaire et primordial. Autre facteur de choix important également : sélectionner un masque qui convienne bien à la morphologie du visage, mais qui soit résistant au point de vue de la **jupe en caoutchouc**. Le bas de celle-ci est en général très fin et se ronge très vite à cause de l'eau chlorée des piscines notamment ou d'un mauvais rinçage après plongée en eau salée.

Pour ces raisons, ce matériel comme le reste doit être bien entretenu. Il faut le passer de temps en temps au silicone et lui faire prendre la douche avec vous après l'entraînement pratique en bassin.

● Il existe maintenant sur le marché de la plongée, des **masques en silicone blanc**. Ils sont beaucoup plus résistants que ceux en caoutchouc et anti-allergiques (oui, certaines personnes sont allergiques au caoutchouc). Le fait qu'ils soient blancs plutôt que noirs, donne lorsqu'on plonge avec ces masques une impression très agréable : au lieu d'être entouré d'un rideau sombre, tout est beaucoup plus clair.

● Enfin, il existe également des **masques à verres optiques** permettant aux plongeurs portant des lunettes d'être tout-à-fait à l'aise. Avant d'en faire l'acquisition, une visite récente chez l'oculiste s'impose, bien entendu.

● **La sangle** qui fixe le masque doit être double à l'arrière afin d'éviter que suite à l'usure, elle ne se rompe en plongée entraînant la perte du masque.

● Pour le citer, il existe aussi **le masque dit facial**, couvrant tout le visage et protégeant admirablement du froid, mais son utilisation est très dangereuse pour des plongeurs non aguerris.

Le tuba

Il est le complément idéal du masque, soit pour le simple palmeur en surface, soit pour le plongeur proprement dit. Il permet de garder la tête dans l'eau pour voir ce qui s'y passe tout en respirant convenablement.

De plus, lors de son emploi, le corps étant mieux enfoncé dans l'eau, le palmage s'avère plus efficace et donc, moins fatigant.

● Beaucoup de modèles existent, mais le plus employé est de loin le plus simple, soit :
— en forme de L avec une seule courbure ;

DIFFERENTS MODELES DE TUBAS, CEINTURES ET PLOMBS

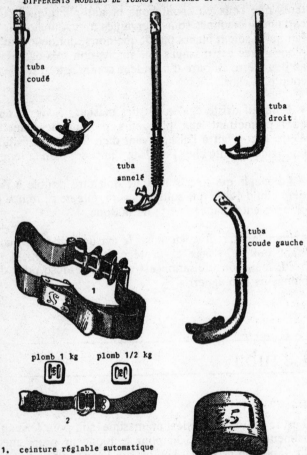

tuba
coudé

tuba
droit

tuba
annelé

tuba
coude gauche

plomb 1 kg   plomb 1/2 kg

1. ceinture réglable automatique

2. ceinture avec boucle sous-cutale

plomb anatomique

— assez rigide avec un embout légèrement rotatif, qui s'adapte bien à la bouche de chacun, mais qui est bien fixé au tube pour ne pas se perdre ;

— sans soupape ni balle de ping-pong, ce qui pourrait gêner une inspiration devenue très pressante ;

— pas trop haut ni trop étroit de diamètre pour éviter la fatigue respiratoire, mais pas trop petit non plus (surtout

lorsqu'on l'emploie complètement équipé avec bouteille, donc plus enfoncé dans l'eau) ni trop large de diamètre car l'expiration ne s'effectuant pas bien on pourrait s'intoxiquer par la réinspiration de son propre gaz carbonique (CO_2);
— le tube rouge ou muni d'une bande adhésive de cette couleur pour être le plus voyant possible.

Cela fait beaucoup d'explications, mais vous verrez que dans la pratique cela se trouve facilement. On trouve «tuba à sa bouche» comme «chaussure à son pied».

● On le passe soit à droite, soit à gauche entre la sangle du masque et la tête. Il est conseillé de bien le tirer vers l'arrière pour éviter que, par une position trop à l'avant, il ne soulève le masque et permette de ce fait une entrée d'eau.

Où le mettre dans l'équipement? Pour la plongée libre ou la chasse, la question ne se pose pas, on l'emploie tout le temps. Pour la plongée avec bouteille on peut soit le laisser entre la tête et la sangle du masque et s'en servir lorsqu'on en a besoin, soit le fixer entre les sangles de la gaine du couteau et le mollet.

Il est bien certain que c'est la pièce de l'équipement que l'on perd le plus. Heureusement, c'est la moins chère.

La ceinture de lest

Elle est encore un élément indispensable à l'équipement du plongeur (voir le principe d'Archimède). Elle sert en premier lieu à descendre plus facilement et ensuite à se stabiliser au palier de décompression.

Elle se compose d'une sangle en coton, en nylon ou en gros caoutchouc et d'une boucle en métal. On y enfile les plombs nécessaires pour obtenir le «bon» lestage désiré.

● Il existe des **boucles** de plusieurs types, mais elles doivent avoir la particularité de pouvoir s'ouvrir très simplement et très rapidement, éventuellement d'un seul doigt, pour le largage rapide de la ceinture et de ses plombs. Certains types de boucles existent pour gauchers ou droitiers.

Certaines ceintures une fois réglées à la taille ou au bassin ne peuvent plus être changées. D'autres, munies d'un type différent de fermeture peuvent être desserrées ou resserrées en cours de plongée. Ceci est très précieux lorsqu'on arrive en profondeur, car le costume s'écrasant avec la pression, la ceinture, peu serrée en surface afin de ne pas entraver la respiration abdominale, devient trop lâche et de ce fait fort gênante.

Il existe aussi une ceinture auto-réglable à toute profondeur sans toucher à la boucle de fermeture. Ce sont en effet deux gros élastiques en caoutchouc passant à travers la sangle en nylon à l'arrière qui effectuent le réglage automatique.

● Les **plombs,** éléments qui constituent le lest proprement dit, existent en plusieurs modèles et de différents poids : les 0,5, 1 et 2,5 kg sont les plus demandés en général. Certains plombs de 2,5 kg ont une forme «anatomique», épousant parfaitement la forme des hanches.

Si le lest demandé s'avère relativement important, 6-7 kg et plus, il vaut mieux employer ces derniers (2,5 kg) bien répartis aux hanches, les autres plombs étant placés à l'avant afin de laisser le dos libre pour que la bouteille puisse s'y installer confortablement sans pousser le lest douloureusement sur les lombaires.

Les palmes

Il en existe de très nombreuses marques et de très nombreux modèles. Mais rappelons que leur but principal est de permettre d'avancer relativement vite sans un effort trop grand, excepté pour les plongeurs de compétition, bien entendu. Mais pour tous les autres plongeurs, du simple touriste de surface au plongeur bien équipé et affrontant un courant important, le palmage développé normalement, sans essoufflement doit être d'un bon rendement, sans entamer les réserves physiques.

A cette fin, chacun, suivant sa force musculaire et sa pointure, devra faire sa propre sélection : ne pas en choisir de trop petites si on est très équipé et ne pas voir trop «grand» ou trop «lourd» afin de ne pas s'épuiser avec de gros «battoirs».

● **Palmes à tuyères ou «pattes de canard»**

Beaucoup de palmes, impressionnantes au premier abord, sont munies de tuyères, ou d'ouvertures à volet dans la voilure pour diminuer l'effort musculaire dans le temps «mort» du palmage. Elles sont extrêmement efficaces à condition de ne pas être trop lourdes.

Un autre modèle est basé sur le principe de la patte de canard, il est assez léger et d'un excellent rendement, même si à première vue il fait reculer devant ses dimensions pas mal d'aspirants plongeurs.

Je me souviens d'une amie plongeuse qui avait de la difficulté à pousser les mêmes palmes à tuyères que son mari et qui à chaque sortie dans n'importe quelle palanquée, frisait l'essoufflement pour pouvoir suivre les autres. Découragée, et cependant convenablement entraînée en piscine, elle parlait à regrets... de changer de sport. Heureusement (pour elle), on put la convaincre d'essayer le type «patte de canard». Ce fut une entière réussite et elle se sent maintenant encore, toujours très à

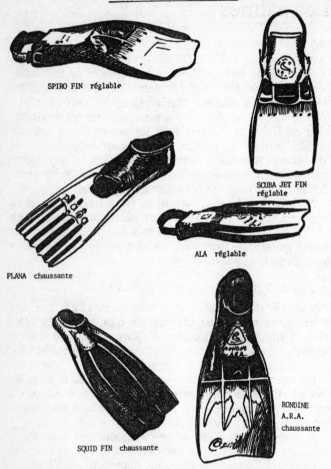

DIFFERENTS TYPES DE PALMES

SPIRO FIN réglable

SCUBA JET FIN réglable

PLANA chaussante

ALA réglable

SQUID FIN chaussante

RONDINE A.R.A. chaussante

l'aise, même dans un courant très important.

Comme quoi, dans ce choix comme dans beaucoup d'autres il ne faut pas se fier aux apparences ni aux idées préconçues des autres, il faut se faire après conseils des anciens, de commerçants sérieux ou des moniteurs, son opinion soi-même.

● Palmes chaussantes ou réglables

Les premières sont à mettre pieds nus, on y est très bien lorsqu'elles sont à la bonne pointure. L'avant est ouvert pour laisser passer les orteils sans les blesser et elles sont d'une bonne protection pour les pieds lorsqu'on se pose sur des rochers notamment.

Les secondes, réglables, sont à mettre avec un botillon isothermique qui protège le pied du froid et du monde extérieur. Les voilures des réglables sont plus importantes que celles des chaussantes.

S'il est très important que les palmes soient bien fixées pour ne pas les perdre, on doit pouvoir les enlever facilement également quand on est nombreux sur un bateau, ou lorsqu'on arrive sur des rochers pris dans le ressac par exemple.

● Fibre de verre

Pour la nage de compétition à la palme, il existe d'excellents modèles en fibre de verre de 70 cm de long, mais vu leur spécification, elles semblent peu pratiques pour «toutes plongées».

Par contre de nouveaux modèles italiens en fibre de verre, mais de dimensions plus classiques viennent de sortir et sont très performants, tout en étant de grande légèreté.

Enfin, signalons qu'il existe un accessoire de sécurité très complémentaire qui est le **fixe-palmes**. Il aide à rattraper une trop grande pointure et à ne pas déchausser lors d'un choc ou d'un saut.

Les botillons et les gants

Ce sont, bien entendu, les accessoires au costume isothermique dont nous avons parlé précédemment.

● Les botillons

Qu'ils soient en néoprène ou en double face nylon, ils seront choisis avec une semelle renforcée.

Il existe des «chaussons» s'abîmant extrêmement vite et ne protègeant pas les pieds du plongeur qui, chargé de tout son matériel, doit parfois marcher sur des rochers, galets ou rocailles avant d'arriver à l'eau. Ces chaussons sont surtout utilisés dans d'autres sports nautiques.

Toujours au sujet de la solidité, les botillons en double face nylon se déchirent beaucoup moins facilement si l'on y plante les ongles en les enfilant.

Les botillons se portent avec des palmes réglables car avec les palmes chaussantes, si le plongeur doit ôter sa palme rapidement, pour une raison quelconque, celle-ci fait ventouse avec le botillon et il lui est quasi impossible de l'enlever. De plus, le pied est trop serré et l'on risque des crampes. Tous les modèles existent toujours en différentes pointures.

● Les gants

Les gants existent en deux modèles : *la moufle* qui est le modèle à 3 doigts (le plus chaud) et *le gant à 5 doigts* qui permet un meilleur mouvement des doigts. Ces deux types de gants sont également vendus en néoprène et en double face nylon mais, pour les mêmes raisons que celles évoquées pour les botillons, le néoprène ne se trouve presque plus sur le marché.

Nous les choisirons de préférence en 5, 6 ou même 7 mm (de même pour les botillons) car ce sont les extrémités du corps qui se refroidissent le plus vite.

Pour la mer, on utilise des gants (à 5 doigts) plus fins donc plus souples. Il existe des modèles en cuir de cheval renforcé de caoutchouc antidérapant à la paume.

Certains plongeurs utilisent tout simplement les gants de ménage de leur femme. Cette solution, même si elle s'avère peu coûteuse n'est certainement pas la meilleure : les gants se déchirent très vite et ne protègent pas suffisamment les mains du plongeur en exploration.

Le couteau

Il est considéré comme indispensable à l'équipement du chasseur et même du plongeur avec scaphandre, non pas pour occire l'un ou l'autre monstre marin ou requin de haute mer, mais pour d'autres raisons :

— en premier lieu, pour couper un filet, un cordage, qui retiendrait le plongeur ;

— en deuxième lieu, pour servir de complément utile au chasseur pendant et après sa plongée ;

— enfin, pendant l'immersion, pour servir à des usages divers comme creuser ou enlever quelque chose adhérant au rocher ou fouiller dans un trou. Il est même employé pour remonter un courant violent en le plantant dans le sol pendant que l'on se tire vers l'avant.

Il doit être de très bonne qualité, muni d'un côté tranchant, et d'un autre, entièrement ou en partie, en dents de scie. Le couteau en acier inoxydable d'une seule pièce de la pointe à l'extrémité du manche est le meilleur. Il en existe plusieurs modèles, de la dague au simili-outil en passant par le gros poignard à manche travaillé et au pommeau renforcé, pouvant servir de marteau.

La gaine doit être solide et munie d'une bonne fermeture de sécurité à anneau souple et remplaçable après

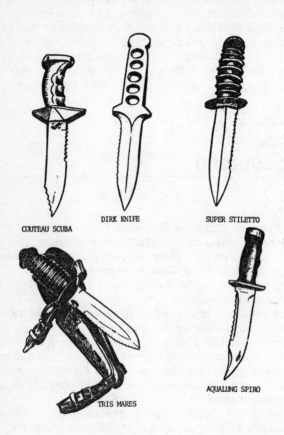

COUTEAU SCUBA

DIRK KNIFE

SUPER STILETTO

TRIS MARES

AQUALUNG SPIRO

usure.

Le couteau se place en général au mollet. Cette place est la plus adéquate : le plongeur peut de la sorte glisser son tuba entre la gaine et la jambe, l'avantage étant que, s'il doit larguer sa ceinture de plombs, ces deux éléments de sécurité restent toujours disponibles.

TYPE D'EQUIPEMENT COMPLET

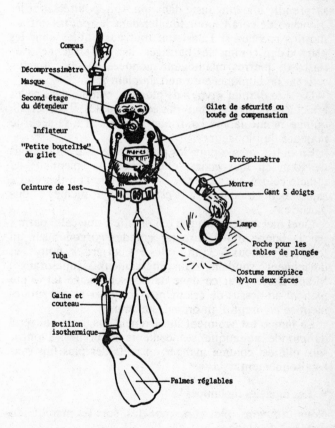

Compas

Décompressimètre

Masque

Second étage
du détendeur

Inflateur

"Petite bouteille"
du gilet

Ceinture de lest

Tuba

Gaine et
couteau

Botillon
isothermique

Gilet de sécurité ou
bouée de compensation

Profondimètre

Montre

Gant 5 doigts

Lampe

Poche pour les
tables de plongée

Costume monopièce
Nylon deux faces

Palmes réglables

Les lampes

Elles s'avèrent indispensables en plongée de nuit, pour surprendre une langouste dans son trou, pour éclairer les branches de corail, pour fouiller dans les petites anfractuosités rocheuses. Elles sont tout aussi utiles dans les plans d'eau comme les barrages, lacs ou anciennes carrières de pierres maintenant inondées où l'on effectue souvent de la plongée de nuit en plein jour.

Dans ce dernier «type» de plongée, comme dans celles effectuées de nuit ou dans des eaux troubles, il est certain qu'une bonne lampe contribue activement à la sécurité majeure du plongeur.

En outre, même pour les plongées de jour en dessous de 10 m en mer claire, elle rétablit la splendeur du monde coloré qui au fur et à mesure que l'on descend a rapidement tendance à s'estomper ou même à disparaître.

Quel merveilleux coup d'œil en effet, que celui permis par la lampe qui éclaire les grandes gorgones sur un tombant rocheux à 35 m : elles étaient grises, noires, et deviennent soudain d'un merveilleux jaune-orange. Même chose pour ce banc de poissons beige terne qui planent au-dessus de ces mêmes gorgones et qui subitement se colorent d'un orange soutenu.

La lampe est vraiment l'instrument magique qui rend au monde aquatique ses couleurs naturelles. Plonger sans elle est comme manger un mets des plus fins sans assaisonnement.

● Les modèles de lampes

Nous trouvons plusieurs modèles sur le marché du matériel de plongée :
— les uns à piles de 4, 6 ou 8 éléments de 1,5 V,
— les autres rechargeables qui sont de véritables phares tant leur puissance est grande et leur lumière bien

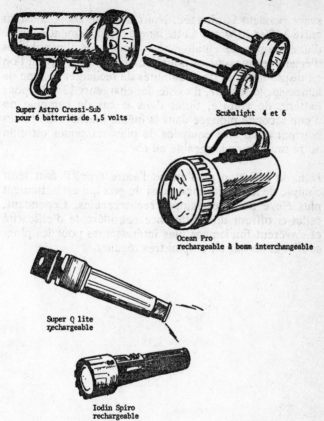

Super Astro Cressi-Sub
pour 6 batteries de 1,5 volts

Scubalight 4 et 6

Ocean Pro
rechargeable à beam interchangeable

Super Q lite
rechargeable

Iodin Spiro
rechargeable

blanche.

Ces dernières, qui sont munies d'ampoules à réflecteurs «sealed beam» et de batteries à «cadmium-nickel», se rechargent sur le courant 220 V comme un flash d'appareil photo. Elles ont une autonomie qui dépend bien sûr de leur puissance.

Certains modèles sont équipés pour accepter des «sealed beams» interchangeables soit de 7 watts avec une autonomie d'environ 3 h 30′ soit de 30 watts avec une durée de plus ou moins 45 minutes.

Il existe un autre modèle prévu pour changer la puissance pendant la plongée. Nous avons le choix constant entre 3, 5 et 10 watts. Cette lampe est également équipée d'une ampoule halogène, donc de possibilités d'éclairages maximales pour son voltage. Au cas où l'on ne disposerait pas de possibilités de recharger ce type de lampe sur le secteur, il existe des chargeurs 12 volts pour batterie de voiture, utiles dans le cas du camping ou d'une seconde plongée dans la même journée. Certaines peuvent aussi être équipées de piles classiques ou d'un autre module rechargeable au choix.

Dans la sélection de l'un ou l'autre type, il faut tenir compte de la qualité mais aussi du prix qui est nettement plus élevé pour les lampes rechargeables. Cependant, celles-ci offrent une différence considérable d'efficacité et s'avèrent finalement plus intéressantes pour les plongeurs qui en ont un emploi très régulier.

La plongée libre

Qu'entend-on exactement par ce terme?
C'est la méthode d'immersion la plus naturelle offerte à
l'homme puisqu'elle consiste à descendre dans l'eau et à
s'y mouvoir grâce au volume d'air des poumons.

En ce sens elle se distingue de la plongée en scaphandre basée, elle, sur un appareil respiratoire. Elle existe
depuis tous temps, depuis que l'homme a décidé de
s'aventurer sous l'eau.

A qui s'adresse-t-elle?
A toute personne en bonne santé n'ayant pas trop peur
de l'eau. Toutefois, il faut faire une grosse différence
entre sa pratique par un enfant ou un adulte vacancier
qui pataugent plus ou moins bien près du bord sur petits
fonds, poussés par la curiosité et un amateur qui s'y
adonne avec beaucoup d'application en y voyant un
entraînement idéal à la plongée avec scaphandre, un
chasseur invétéré ou un plongeur de perles ou d'éponges
de ce début de siècle.

Les premiers seront soumis à peu de risques, tandis
que les autres devront développer l'entraînement et la
technique afin de les limiter.

En ce qui concerne les enfants, les débutants et les amateurs épisodiques, c'est dans la zone du bord sur petits fonds rocheux qu'on rencontre le plus grand nombre d'entre eux. Les rochers sont à préférer au sable, car on y trouve plus de vie. Munis d'un masque, d'un tuba et d'une paire de palmes, ces aspirants plongeurs scrutent l'environnement, attirés par la nouveauté et l'étrangeté d'un autre monde.

S'ils savent nager cela suffit. Et encore : mon fils, comme beaucoup d'enfants a assouvi sa curiosité équipé pour la plongée libre avant de savoir vraiment nager. Sous surveillance, bien entendu !

Matériel

Bien que réduit au minimum, le matériel doit obéir à certaines règles.

● **Le masque** doit être en verre de «sécurité» et ne doit pas être trop serré : cela ne sert à rien. S'il a été bien choisi pour la forme du visage, lorsqu'on inspire en surface il doit faire ventouse sans l'aide des sangles.

Le verre peut s'embuer. Pour éviter cet inconvénient il faut l'humidifier avec de la salive, puis le rincer à l'eau avant de plonger.

● **Les palmes** qui doivent être choisies chaussantes lorsqu'on les emploie pieds nus ne doivent pas être trop justes ou trop larges. Enfin, elles ne sont absolument pas faites pour marcher. Si le palmage est inefficace et maladroit au début, il va s'améliorer avec un peu de pratique et s'adapter à la demande.

● **Le tuba** doit être tout simple, surtout sans balle de

ping-pong (voir à ce sujet le chapitre sur le matériel).

Recommandations initiales

On peut s'adonner à la plongée libre sans grands risques. En effet, en ne s'éloignant pas du bord, on ne craint ni fatigue, ni courant ni crampes. En ne descendant pas trop profondément ni trop longtemps, du moment que les oreilles passent, il n'y aura pas de problèmes. Il est évident que l'on rentrera lorsque le froid se fera sentir*.

Avant immersion

Si la mer est mauvaise, on ne doit pas se mettre à l'eau, ni en ressortir, près des rochers car on risque de se heurter violemment à ceux-ci.

Comme pour la nage, une immersion brutale est déconseillée, surtout après une exposition prolongée au soleil. Il faut, en effet, toujours entrer dans l'eau progressivement, en se mouillant les bras, les épaules et le cou avant de plonger. Sans ces élémentaires précautions, on risque ce qu'on appelle une «hydrocution».

En immersion

Certaines incursions vont être tentées pour voir de plus près ce qui s'y passe, pour ramasser quelque chose ou pour tirer un poisson. A ce moment, on est confronté à la pression s'exerçant sur les oreilles. En se pinçant le nez

---

* A ce sujet, la résistance des enfants est remarquable.

et en soufflant comme pour se moucher, on rétablit l'équilibre. Il ne faut pas attendre, pour exécuter cette manœuvre, l'apparition de la douleur.

Si le masque presse sur le visage, il suffit d'y souffler par le nez pour remédier à cet inconvénient.

On doit aussi faire attention où on met les mains et les pieds. Certains poissons, anémones et oursins sont notamment à surveiller.

Après immersion

Lors de l'immersion, le tuba se remplit naturellement d'eau. Dès que l'on crève la surface, on doit expirer fortement dans le tube, à la manière des cétacés, de façon à le vider. Non seulement l'eau s'évacue et on ne risque pas d'en avaler en expirant, mais cela permet aussi une bonne expulsion du taux trop élevé de gaz carbonique (CO_2).

Le conseil suivant est peut-être le plus important : lorsque vous remontez en surface, de même que lorsque vous nagez, surveillez bien les embarcations et les planches à voile car leurs utilisateurs ne sont pas toujours des plus vigilants.

Enfin, si la promenade aquatique a duré longtemps, on peut attraper un bon coup de soleil dans le dos; heureusement, il existe aujourd'hui de bonnes crèmes pour se soigner.

En tenant compte de ces quelques recommandations, la plongée libre peut devenir un sport très agréable, excellent pour la santé et recommandé au vacancier sédentaire. Elle est donc la base même de la plongée et va servir à la fois de tremplin et d'entraînement pour d'autres disciplines aquatiques comme la chasse et la pratique du scaphandre.

Perfectionnement et technique

Bien qu'initiés aux joies de la plongée libre, comme nous ne sommes pas des mammifères marins et si nous désirons poursuivre plus loin notre contact avec la mer, il va falloir nous perfectionner considérablement pour la réalisation de différents exercices. Ceux-ci ayant pour but de créer en nous de nouveaux réflexes contribuant à nous donner une aisance importante dans l'eau et nous permettant d'acquérir ce que nous pouvons appeler une bonne *aquaticité*.

Certains d'entre nous vont être plus avantagés que d'autres au début. C'est le cas des bons nageurs de crawl, qui en se cyclant totalement aux mouvements du palmage vont faire de rapides progrès. L'emploi convenable et efficace des palmes en surface comme en immersion et dans différentes positions est à acquérir.

Le contact de l'eau sur les yeux (pour vider le masque), sur les muqueuses du nez, l'inspiration ainsi que l'expiration par la bouche sont des phénomènes inattendus auxquels nous devons nous habituer.

La pratique de cet entraînement dans les régions trop au nord, loin d'une mer hospitalière, doit s'effectuer régulièrement en piscine. Là, les principes les plus importants vont être enseignés en toute sécurité par des moniteurs qualifiés. (Voir le chapitre sur exercices en clubs). Ailleurs c'est en pratiquant avec des chasseurs ou des enseignants chevronnés, directement dans l'élément, que l'amateur assimilera la technique.

Quelle que soit la voie empruntée, ici comme dans beaucoup d'autres domaines, la rapidité du résultat dépend d'un certain don inné, mais aussi de la motivation et de la volonté de chacun.

L'immersion

Pouvoir nous immerger harmonieusement par la méthode dite du «canard» (développée au chapitre des lois, Principe d'Archimède) est très utile. Elle permet, bien réalisée, une descente à la fois rapide et sans trop d'effort. Réalisée silencieusement, elle effraie très peu les poissons, ce qui est très appréciable pour le chasseur.

·Afin de rendre la descente encore plus facile, on peut recourir à l'emploi d'une ceinture de plombs. Cependant ce lest ne doit pas être trop important, car s'il facilite la descente il va rendre la remontée plus pénible. On ne doit pas être trop plombé pour des mesures de sécurité et en cas de problème, on ne doit pas hésiter à larguer son lestage.

L'apnée

A ces niveaux poussés, la plongée libre présente certains problèmes et dangers importants.

Elle s'effectue donc à l'aide du volume d'air inspiré en surface. Cette méthode porte le nom *d'apnée*, c'est-à-dire : arrêt momentané de tout acte respiratoire. Pour que cette apnée s'avère intéressante, elle va devoir se prolonger un certain temps sans toutefois dépasser nos limites de sécurité.

Celles-ci se manifestent naturellement par un besoin de respirer une fois immergé. Cependant, le temps passé de la sorte est souvent trop court et il y a possibilité de l'allonger.

Prenons un exemple : le débutant plongeur du début de chapitre — même s'il aperçoit en immersion une belle étoile de mer rouge qui le fascine — lorsque le besoin de respirer se fait sentir, va remonter relativement vite et c'est très bien ainsi.

Par contre, le chasseur sous-marin voyant son seul gros poisson de la matinée rejoindre son trou, va aller jusqu'à lui pour essayer de le tirer. Même dans ce cas, s'il éprouve le besoin de respirer, il va forcer par sa propre volonté afin de gagner quelques secondes.

Dans le second cas, l'adepte de la chasse sportive a donc intérêt à disposer d'un temps d'apnée relativement important. Afin d'y parvenir plusieurs moyens sont à sa disposition :

— en premier lieu, une capacité vitale pulmonaire importante, qui dépend de sa morphologie propre, qui s'entretient et peut encore se développer par la pratique ;

— ensuite, une bonne condition physique qui découle aussi d'un bon entraînement ;

— enfin, la possibilité de pouvoir se décontracter tant physiquement que psychiquement avant la plongée. A ce sujet, le yoga par un contrôle de la respiration et par les possibilités de relaxation qu'il offre, est une discipline qui peut aider énormément le plongeur.

Il est également important que chacun se connaisse bien pour sentir facilement s'il est dans un bon jour ou non. Il faut savoir que l'anxiété et la nervosité sont des états diminuant fortement les possibilités. Le froid également. C'est pourquoi un costume isothermique relativement épais est nécessaire en fonction du temps passé et de la température de l'eau.

Hyperventilation et syncopes

Si la qualité de l'apnée dépend des différents facteurs cités plus haut, elle peut être également influencée par une technique respiratoire appelée «*hyperventilation*». Celle-ci consiste à inspirer et à expirer de façon profonde et forcée plusieurs fois consécutivement avant de plonger pour abaisser le taux de gaz carbonique (CO_2) dans le sang.

Attention, car cette technique peut être dangereuse si elle est exagérée. Elle ne doit pas être pratiquée jusqu'à apparition de vertiges, car elle peut aller jusqu'à entraîner par la suite la syncope en plongée.

Pendant l'immersion, l'organisme va consommer l'oxygène (O_2) du sang et produire du CO_2. C'est la présence de celui-ci qui déclenche le réflexe respiratoire.

Mais comme nous l'avons volontairement retardé par la pratique de l'hyperventilation, la pression partielle de l'oxygène (02) va diminuer en-dessous de la limite tolérée par l'organisme. Ceci sans que nous nous en apercevions.

La syncope anoxique va alors apparaître brutalement entraînant une possibilité éventuelle de noyade. Si le plongeur est seul à ce moment, il peut ainsi trouver la mort.

Autre danger important, comme la plongée libre est une sorte de plongée en «ascenseur», la respiration entre deux apnées constitue un phénomène capital. Elle doit être suffisante, sinon les dettes d'oxygène peuvent s'accumuler et provoquer l'apparition d'une hypoxie : pourcentage d'02 du sang tombant sous la limite critique d'où syncope. De là découle notamment l'accident survenant à la remontée et appelé «rendez-vous syncopal des 7 m». Une période de récupération de plusieurs minutes entre deux apnées est donc obligatoirement à respecter.

Afin d'éviter ces dangers éventuels, il ne faut jamais chercher des performances. Atteindre 30 m est à laisser à quelques champions bien entraînés et 100 m à un homme-poisson comme Jacques Mayol.

Que ce soit en vue d'un entraînement poussé ou pour la chasse ; il ne faut jamais pratiquer seul, mais bien à deux, le plongeur en surface surveillant sans cesse l'autre en immersion et étant prêt à intervenir directement en cas de besoin. Quant au chasseur, il doit toujours retenir que même rater «le mérou» de sa vie vaut bien sa sécurité ainsi que la prolongation de son existence.

L'équipement

Au sujet du froid, s'il diminue considérablement la qualité de l'apnée, et s'il est un facteur aggravant d'accidents, il rend également le plongeur mal à l'aise. Il le pousse ainsi à sortir de l'eau plus tôt qu'il ne le désire. C'est pourquoi, nous en avons déjà parlé, le port du vêtement isothermique est indispensable.

Pour le plongeur sans costume, si la ceinture de lest était surtout un complément facilitant la descente, pour le plongeur porteur d'un vêtement, elle devient indispensable. Effectivement, le costume confère une flottabilité importante.

Lors de la descente, le plongeur va rencontrer une zone de flottabilité positive proche de la surface. Pour la vaincre aisément il doit donc être leste et descendre en «canard». Au plus il est plombé au mieux et au plus vite il descend.

La vitesse va en s'accentuant avec l'augmentation de la profondeur. Mais si cette dernière devient importante, le plongeur va se sentir très lourd sur le fond, ce qui n'est pas très agréable et la remontée va être plus difficile. Il va falloir véritablement pédaler pour arriver au-dessus.

On doit donc éviter un excès de plombage pour des mesures de sécurité et, quitte à me répéter, ne pas hésiter au besoin à larguer sa ceinture. Contrairement à ce que l'on pense souvent, on ne doit pas prendre trop d'air avant de descendre. Cela ne sert à rien, sinon à freiner considérablement le passage de la zone de poussée positive, les poumons faisant effet dans ce cas de ballast important.

Les précautions en remontée et en surface

La remontée doit s'effectuer relativement lentement. Pour cette raison, on doit toujours s'arranger pour ne pas dépendre d'un besoin absolu de respirer avant de l'entamer. Il est conseillé avant d'arriver en surface de bien balayer le champ de vision à 360 degrés, pour ne pas se heurter à un obstacle en émergeant : canot à moteur (mais lui on l'entend aussi venir), bateau ou planche à voile.

Dans un but de sécurité, il est conseillé d'emmener une bouée de surface reliée à une corde en nylon de plusieurs mètres et attachée à la ceinture du plongeur (il existe des modèles à enrouleur). Elle signale aux utilisateurs du plan d'eau sa présence en-dessous et sert souvent aussi aux proches restés au bord, de point de repère.

On ne doit jamais chasser, ni plonger sans couteau.

En guise d'exercice préparatoire à la plongée en scaphandre, il est bon de s'immerger sans tuba et lors de la remontée prendre l'habitude d'expirer une partie de son air directement dans l'eau, bouche bien ouverte.

Ceci étant un des réflexes favorables pour éviter des risques de surpression pulmonaire en plongée avec appareil respiratoire (voir chapitre sur les accidents).

Rappel des risques d'accidents en plongée libre

1 — *Les facteurs prédisposants* : méforme psychique et physique, la fatigue et le froid (le plongeur ou chasseur restant plusieurs heures dans l'eau ou mal équipé).

2 — *Les accidents eux-mêmes* :
○ les accidents provenant des dangers du milieu, des animaux, de l'homme (filets, lignes ; à cette fin, emporter toujours un couteau avec soi ; bateaux en surface) ;
○ la syncope anoxique (développée plus haut) ;
○ l'hypercapnie : contraire au mécanisme entraînant la syncope anoxique. L'augmentation de la pression de CO_2 survient plus vite que la diminution de la pression d'O_2.

De ce fait, le plongeur a un besoin de respirer à tout prix. S'il est en immersion, il peut se noyer en inhalant de l'eau ;
○ la surpression pulmonaire : cas du plongeur en apnée se ravitaillant en air chez un autre en scaphandre et n'expirant pas lors de la remontée ;
○ le rendez-vous syncopal des 7 m : syncope qui peut se produire lors de la remontée ;
○ la noyade (comme pour le nageur) ;
○ l'essoufflement en surface (dû à la respiration au tuba).

Les préventions dont nous avons à tenir compte ont été développées lors des énoncés des problèmes.

Tout cela peut sembler fort négatif, mais rappelons-nous que la connaissance et la prudence peuvent très bien remédier à ces problèmes et n'oublions pas les merveilleux plaisirs retirés d'un contact en bonne harmonie avec la mer, la joie de se faufiler parmi les posidonies à la découverte d'oursins, d'étoiles et de bancs de petits poissons effrayés par notre présence et cela dans un silence bien apprécié.

La chasse sous-marine

Ici aussi, il faut faire une distinction entre le touriste occasionnel des vacances, qui s'achète un petit fusil à sandow au «bazar de la plage» et le chasseur pratiquant cette technique régulièrement en tant que sport et passion.

Le premier, adolescent ou adulte, s'il y trouve un excellent passe-temps, ne va pas s'éloigner du bord et ne pas passer un temps très important en quête de sa proie éventuelle. Son équipement ainsi que son fusil sont en général limités et son adresse laisse plus de chance aux poissons qu'elle ne leur procure de dangers.

Mais qu'importe, pratiqué dans des conditions de sécurité, ce passe-temps apporte de réels plaisirs et le but même de l'opération est rempli. Car n'oublions pas que si la plongée sous-entend fatalement exploration sous-marine, elle doit être également considérée comme un plaisir et un sport de détente.

Dans le second cas, l'adepte de la chasse sportive peut rester dans l'eau plusieurs heures, s'aventurer assez loin, descendre et pratiquer des apnées d'une à deux minutes régulièrement à des profondeurs importantes (de 15 à 20 m). Il est rompu à la technique de la plongée libre, en apprécie les joies et en connaît les dangers, dont nous avons parlé (voir ce chapitre). Son bagage, au point de vue entraînement et connaissance s'est acquis directement par la pratique au contact de chevronnés.

Pour terminer, rappelons que le **permis de chasse** est obligatoire en France (comme dans la plupart des pays). Ce n'est qu'à cette condition que vous pourrez sortir vos prises de l'eau. La chasse est interdite aux moins de 18 ans.

Chasse et écologie

Tout naturellement, nous sommes amenés à nous demander si chasser (... et en parler) est encore bien convenable à une époque où tous les mouvements écologiques prônent une protection active de la nature ; si nous n'allons pas juger ici l'action de chasser, qui se justifie ou non aux yeux de chacun par des raisons bien personnelles, dont l'une est l'obligation de manger tous les jours.

Nous voulons savoir si cette discipline ne détruit pas trop le milieu naturel dans lequel elle a lieu ? Nous croyons pouvoir répondre ici par la négative.

Par rapport à la pêche industrielle et systématique, à la pollution de la mer par notre société de consommation, que peuvent détruire les deux catégories de chasseurs que nous venons d'envisager ? Il ne faut pas oublier que la grosse majorité ne pratique que pendant deux mois par an, assez maladroitement en général, sur une très petite frange de côte.

Les autres, représentant la minorité, sont très souvent des gens de l'endroit, qui connaissent la mer, ses animaux et les respectent, car ils représentent pour eux une source vitale.

La chasse en ce sens a acquis ses lettres de noblesse par la pratique d'un **code moral** strict :

1 — On ne chasse pas en scaphandre (ce n'est pas permis excepté en Italie) mais bien en apnée (voir la plongée libre).

2 — On ne chasse pas dans des endroits interdits (réserve nationale), ni illicitement, le chasseur ne vide pas les casiers des pêcheurs professionnels.

3 — On ne tire que ce qui est comestible. On réfléchit avant de tirer si l'animal se mange ou non, si la taille est suffisante. On ne tire pas systématiquement sur n'importe quoi en abandonnant par la suite au bord ce qui ne convient pas.

La chasse est apparue en France seulement avant la seconde guerre mondiale, elle est pourtant une manière naturelle donnée à l'homme pour se nourrir. Les Polynésiens la pratiquent depuis tous temps. Les hommes du Pacifique descendent régulièrement dans les eaux vertes de leur lagon, à la recherche de nourriture sous forme de poissons, tortues ou coquillages. Autant dire qu'ils sont passés maîtres dans cet art. Mais restons plus près de chez nous.

Matériel

Que faut-il savoir pour pratiquer ce sport ? Il faut avoir une bonne pratique de la plongée libre et en connaître parfaitement ses risques. Si on veut l'effectuer dans un but sportif poussé, on doit la pratiquer à deux par souci de sécurité comme déjà expliqué avant.

De quel matériel doit-on disposer ? Au début, d'un masque, tuba, palmes et d'un fusil. Par la suite, de la même base, en y ajoutant :

Plongeur équipé d'une "bouée repaire" de surface

— un costume, des chaussons ou botillons isothermiques et des gants, ainsi qu'une ceinture de lest (vu dans le chapitre plongée libre) indispensable avec le costume;
— un accroche-poissons et un couteau;
— l'un ou l'autre fusil convenant à différents types de chasse;
— une bouée de surface munie d'une corde nylon de ± 20 m fixée sur un système à enrouleur adapté sur la ceinture;

— un gilet de sécurité fonctionnant avec une cartouche de CO_2, qui peut en cas de problème remonter le chasseur en surface.

Il est certain qu'il ne faut surtout jamais respirer sur ce gilet après l'avoir gonflé au CO_2.

La firme italienne Mares sub propose un gilet relié à une bouteille de CO_2 et à un dispositif électronique. Le temps d'immersion est préfixé par l'utilisateur, si par un problème quelconque ce temps est dépassé (syncope), automatiquement le gilet se gonfle et ramène le plongeur en surface. Le dispositif fonctionne à chaque plongée et se bloque de lui-même au moment de l'émersion. Il n'est pas encombrant et peut sauver la vie du chasseur à condition que la technique ne le lâche pas.

Les fusils

• **L'arbalète,** à simple ou double sandow. Elle existe en différentes longueurs et peut être munie de flèches à pointes très fines, dites flèches tahitiennes.

• **Le fusil**, à ressort, à air comprimé ou à cartouche de gaz comprimé CO_2 (interdit en France). La flèche est introduite dans le canon, comprimant le ressort.

Dans le cas du modèle à air comprimé en hydropneumatique, l'air est stocké dans le fusil par une pompe manuelle. La flèche est raccordée au fusil par une cordelette en nylon et comprend près de la pointe un ardillon qui s'ouvre dès que le poisson est touché afin qu'il ne puisse pas se dégager.

• **Le pistolet,** petit fusil ou arbalète, à faible rendement employé par les débutants.

Les fusils ont en général une portée de tir de trois à quatre mètres. Ils doivent être facilement rechargeables dans l'eau. Ils ont une flottabilité positive non munis de leur flèche.

Les fusils du type court conviennent mieux à la chasse

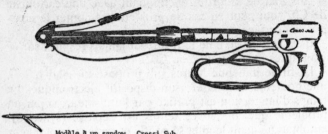

Modèle à un sandow   Cressi Sub
avec flèche tahitienne

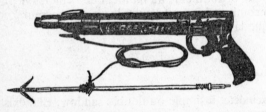

Petit fusil à air comprimé SL 40 Cressi-Sub

aux poissons de roche, ou «chasse au trou». Tandis que pour les poissons de pleine eau et de sable, c'est le modèle long à très longue flèche qui fera l'affaire.

Le **trident** est à employer rarement car il abîme le poisson. Rappelons à ce sujet qu'il est toujours mieux de tirer le poisson dans la tête ou près de celle-ci.

Techniques et lieux de chasse

En chassant il faut tenir compte de la transparence de l'eau, qui peut soit faciliter le champ de vision du plongeur ou le diminuer. Si l'eau est très claire, le poisson perdu dans le décor va sembler très petit et le fond moins éloigné qu'il ne l'est réellement. Par contre, tout va nous sembler entièrement différent par eau trouble.

On peut être amené à chasser sur trois types de fond. Soit sur :

— du sable,
— un champ d'algues ou herbiers,
— des rochers.

Les endroits les plus propices et les plus poissonneux sont en général les rochers. Non seulement parce qu'ils sont des abris naturels très recherchés par les animaux marins, mais aussi parce qu'ils permettent au chasseur d'adopter une certaine tactique. Il peut en effet après s'être immergé silencieusement toujours par la méthode du «canard» profiter de certaines cachettes naturelles afin d'observer sa future proie ou d'attendre à l'affût que quelque forme de vie se manifeste.

Cette tactique se révèle impossible sur un fond de sable où le chasseur est immédiatement repéré.

L'immersion en silence du chasseur ainsi que la maîtrise de ses mouvements sont des facteurs jouant en sa faveur. En effet, au plus il est bruyant, au plus le poisson l'entend venir et file.

Il est certain que tous les conseils que l'on peut donner peuvent un peu aider le débutant, mais «c'est en forgeant que l'on devient forgeron», rien dès lors ne remplace une longue pratique amenant à une expérience personnelle de la chasse.

Les poissons

On trouve bien entendu des variétés différentes suivant les endroits où l'on plonge : les habitants des fonds de la

Côte d'Azur ou de Grèce, ne sont pas les mêmes que ceux de Bretagne ou du Portugal. Ce qu'il faut retenir c'est qu'il en existe plus ou moins quatre types :
— les poissons de rochers et de trous,
— les poissons de sable et de petits rochers,
— les poissons mixtes (trous et champs d'algues),
— les poissons de pleine eau.

Poissons de rochers

Mérou
C'est le type même de poisson vivant dans les grottes, dans les trous et les failles. Le méditerranéen peut peser jusqu'à 25 kg.

Il dispose en général de nombreuses galeries communicantes lui permettant des voies échappatoires naturelles.

Le mérou est très difficile à tirer car s'il ne meurt pas sur le coup, il se cale dans un trou à l'aide de ses opercules et il sera difficile de l'en déloger. Si cette chasse se déroule à une profondeur importante, cela risque d'être dangereux pour le chasseur qui après des montées et descentes successives peut se sentir extrêmement fatigué.

Murène
Elle peut être facilement tirée, alors que sa tête sort franchement de son trou. Elle a un air plus rébarbatif et cruel que ne l'est en réalité son caractère. Si en la regardant, on lui prête l'envie de mordre, car elle ouvre et ferme la gueule sans arrêt, on se trompe, c'est simplement parce qu'elle a les ouïes éloignées de la tête qu'elle est obligée d'effectuer ces mouvements respiratoires.

De toute façon, quand on la blesse, il ne faut pas s'en approcher trop, autrement on risque de connaître tout de même sa morsure.

Comme sa chair n'est pas excellente, il est préférable de la laisser vivre et d'essayer plutôt de gagner ses faveurs lentement en la nourrissant de morceaux de poissons ou de crabe.

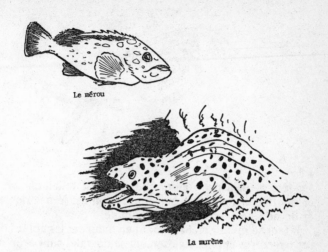

Le mérou

La murène

Le poulpe

Congre

C'est une sorte de serpent pouvant atteindre une taille très importante, plus ou moins 1,80 m, et peser près de 20 kg.

Comme pour la murène, si sa gueule et sa grandeur impressionnent, il est cependant inoffensif. Il offre aussi peu d'intérêt à être chassé.

Poulpe

Il se trouve souvent dans son trou et non en pleine eau. Il est très mimétique et s'accroche aux rochers avec ses ventouses d'où il est difficile de l'en tirer.

Le sar

Rascasse
La tête a un aspect dantesque. Elle est tellement bien camouflée et immobile que souvent on est le nez dessus et on ne s'en rend même pas compte.

Il faut se méfier en la prenant en main car les épines de ses nageoires et particulièrement sa dorsale, sont acérées et venimeuses. Ses piqûres sont très douloureuses et peuvent provoquer fièvre et allergies. Elle se déplace par bond.

Sa chair succulente est très prisée pour la bouillabaise.

Sar
Il peut vivre en solitaire ou en bande. Il a souvent un trou favori.

Le sar est difficile à tirer et n'est intéressant qu'au-dessus de la livre.

Poissons de sable et de petits rochers

Sole
Si elle ne présente pas un intérêt sportif à être tirée, elle représente cependant un intérêt culinaire.

Rouget
Le rouget n'est pas un animal facile à chasser. Il se reconnaît sur le sable en train de le fouiller à l'aide de ses deux petits barbillons. Sa chair est excellente.

Raie

Elle vit également dans le sable comme la sole, avec uniquement les yeux qui en dépassent. Il y a également peu de plaisir à les tirer.

Si on le fait, on doit se méfier de la «pastenague» qui a un dard venimeux sur le bout de la queue.

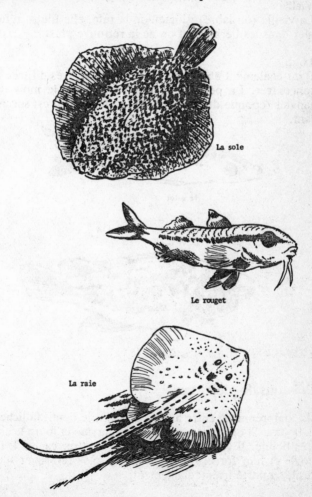

La sole

Le rouget

La raie

Poissons de champs d'algues

Mulet
Le mulet vit en bancs, il est difficile à attraper, ne se laissant guère approcher.

Vieille
La vieille (ou labre) : lorsqu'on la rate, elle file se réfugier dans les herbiers et on ne la retrouve plus.

Loup
Il vit également en bandes. Il est méfiant, très difficile à rencontrer. La période la plus propice est le mois de janvier (époque du frai). Grillé (au fenouil) il est succulent.

Le mulet

La vieille

Poissons de pleine eau

Ils comprennent, entre autres, le thon, le denti, la liche, la bonite. Si on les rencontre c'est déjà que la journée est très bonne. Il vaut mieux ne jamais les tirer car vu leur poids et leur force, on risque de ne plus retrouver son fusil, emporté irrémédiablement.

Les Crustacés

Terminons en parlant des crustacés : homard, langouste, araignée, cigale. Mais pour eux on ne peut pas parler de technique. On les prend en général à la main, mais il faut s'en méfier fortement, surtout du **homard** qui, de ses pinces surpuissantes, peut vous enlever un ou plusieurs doigts. On peut se risquer à l'attraper, si on est certain de le saisir par le cou d'un geste très rapide.

Pour surprendre la **langouste** dans son trou, comme elle est très curieuse, à votre arrivée elle vient voir laissant dépasser ses antennes, vous les chatouillez doucement d'une main et de l'autre vous la saisissez d'un mouvement sec par la nuque, comme pour le homard. Si on ne doit pas craindre ses pinces (car elle n'en a pas), il faut quand même se méfier du mouvement de sa queue qui en se rabattant brusquement coupe comme un rasoir.

Les **araignées** sont camouflées dans le sable avec en général beaucoup d'algues sur leur carapace afin d'encore mieux passer inaperçus. Il faut également les prendre par le dessus du dos en évitant leurs pinces.

Quant aux **cigales**, on les trouve au plafond des petites grottes. Il est inutile de vous vanter la valeur gastronomique de tous ces crustacés.

N'oublions pas non plus, pour les amateurs de chasse dans les eaux tropicales, que les poissons sont un peu comme les champignons. Certains sont très bons, tandis que d'autres peuvent être très toxiques. A cette fin, toujours se renseigner chez les pêcheurs locaux.

La plongée en scaphandre

L'apprentissage ou baptême

Les motivations qui poussent à la plongée en scaphandre sont certainement très nombreuses, une des principales est la curiosité. Ce qui va s'avérer merveilleux, c'est de pouvoir rester dans l'eau relativement longtemps sans remonter à la surface s'approvisionner en air, action qui va rompre le charme du contact avec le milieu aquatique, mais qui va aussi tout simplement fausser impérativement une période d'observation intéressante.

Puisque la technologie moderne le permet, pourquoi ne pas en profiter? Mais comme la plongée sous-marine avec scaphandre relève d'une grande technicité, il faut donc l'aborder prudemment, comme nous l'avons déjà vu, par le biais d'un enseignement pratique et théorique très sérieux.

Mais avant cela, il nous semble fort important de mettre l'aspirant plongeur assez rapidement au cœur du problème, c'est-à-dire de lui faire ressentir les effets d'une évolution avec scaphandre.

Deux moyens s'offrent à lui : soit sur place en vacances, à chaud dirions-nous, par l'intermédiaire d'un centre de plongée ; soit en piscine dans un club ou école. Quel que soit le choix retenu sous la surveillance d'un moniteur qualifié, il va avoir l'occasion de donner ses premiers coups de palmes, équipé d'un bloc-bouteille et d'un détendeur.

Première leçon

Comment cela se passe-t-il en pratique ? Ici il va falloir faire une distinction importante entre un débutant qui sait nager mais qui connaît à peine les rudiments de la plongée libre et un chasseur sous-marin déjà rompu aux différentes manœuvres de celle-ci et ayant déjà acquis par la pratique cette aisance dans l'eau appelée «aquaticité». Un baptême, qui est le tout premier stade d'initiation, reste toujours ce que sa définition en dit pour l'un ou pour l'autre, mais il ne faut pas être devin pour se rendre compte que les évolutions du premier et du second seront totalement différentes. La psychologie employée par le moniteur sera différente également dans les deux cas.

En milieu marin

Avant l'immersion qui va s'effectuer sur petit fond (± 3 m) et dans une eau claire et pas trop froide, le moniteur va commenter au débutant le genre de plongée qu'est le baptême.

Il est important de bien expliquer au futur baptisé ce qu'il va plus ou moins ressentir par la suite, c'est une manière de le rassurer. On va lui parler de l'équilibrage des oreilles, de la dépression pouvant s'exercer dans le masque et des moyens d'y remédier. Du libre cours de sa respiration à ne pas bloquer et de l'importance de l'expiration. Tout ceci étant une mise en contact avec de nouveaux réflexes comme nous l'avons vu dans le chapitre précédent sur la plongée libre.

Comme on ne peut pas se parler sous l'eau, le moniteur va apprendre les deux premiers signaux du code de communication sous-marine, «ça va» ou «ça ne va pas».

Enfin, après avoir parlé brièvement du fonctionnement du scaphandre et fait respirer le néophyte au détendeur quelques fois, bien équipé, si l'élève est toujours d'accord, la plongée va commencer.

Elle aura lieu comme nous l'avons déjà dit, sur petit fond, la vue de la surface étant toujours un indice sécurisant. La meilleure mise à l'eau, si elle est possible est celle du bord en pente douce. Si elle ne peut se réaliser ainsi pour une cause quelconque et qu'elle doit s'opérer d'un bateau, une descente lente les pieds les premiers, paraît être la plus rationnelle parce qu'elle est similaire à notre position terrestre. La méthode «du canard» et son utilité seront enseignées plus tard.

Le moniteur va rappeler les gestes pour parvenir à l'équilibrage des oreilles et s'informer régulièrement si tout va bien en exigeant une réponse de son baptisé. Si cela se passe normalement, il va laisser son élève se rendre compte qu'il se trouve dans un milieu qui n'est pas le sien et qu'il respire, donc qu'il peut y rester.

En fonction de l'adaptation et de l'aisance de l'élève le moniteur va entreprendre alors une petite promenade. Si des spécimens de faune et flore se rencontrent, il va en profiter pour les montrer au débutant, ce qui est une manière intéressante de calmer éventuellement son psychisme en portant son attention sur autre chose que sa propre personne.

Souvent, prendre le baptisé par la main est très sécurisant pour lui, qui à travers cette attitude «sent» la présence du moniteur et peut lui communiquer ses impressions directement par contact. La promenade sous-marine ne doit pas durer trop longtemps et le retour, si tout se passe toujours pour le mieux, doit s'effectuer dans le calme. Une fois revenu dans son monde habituel, le baptisé ne va pas hésiter à donner ses impressions et à poser pas mal de questions au moniteur.

Dans le cas d'un chasseur expérimenté, si les choses au début vont se passer de manière quasi semblable, par la suite l'acquis de son aquaticité va parler, et là où le néophyte total mais courageux va être passif à côté de l'enseignant, lui va se révéler plus sensitif.

De ce fait la promenade sera peut-être un peu plus longue et plus profonde. Attention tout ceci étant laissé à l'appréciation du moniteur. Un baptême peut également être effectué par un plongeur chevronné, sans se dérouler dans le cadre d'un centre ou d'une école de plongée. N'oublions pas que moniteur est un titre.

Beaucoup de chevronnés, ayant une grande pratique et une bonne dose de psychologie peuvent remplir parfaitement le rôle de moniteur attitré. Le seul problème réside au niveau du débutant, qui lui ne peut au premier abord faire la différence entre ce type de chevronné et un plongeur un peu vantard qui sait et peut tout.

Celui-ci par une initiation maladroite peut (même s'il n'est pas toujours dangereux compte tenu de la faible profondeur) dégoûter son élève tout au moins pour une certaine période plutôt que de faire naître en lui l'étincelle de la vocation sous-marine.

Donc, si vous doutez des capacités de votre futur initiateur, adressez-vous plutôt à un moniteur d'un centre de plongée.

En piscine ou plan d'eau

Le baptême bien pratiqué dans le milieu marin est l'idéal pour entrouvrir à l'aspirant plongeur les portes du scaphandre et de sa finalité. Mais il ne se passe pas toujours dans le vif du sujet. Le second endroit, pour une première évolution employant l'appareil respiratoire, est la piscine.

Ce baptême va se pratiquer dans le cadre de l'enseignement d'un club ou école. S'il est beaucoup moins naturel que la première solution, il est tout de même très marquant et en tout cas fort sécurisant. Cette qualité doit apporter un encouragement à l'aspirant-plongeur, qui s'inscrit dans le club et qui va devoir suivre les cours tant pratiques que théoriques.

Mon baptême en piscine, surveillé par un ami moniteur, a consisté en un parcours de 50 mètres seulement, car effectué à la fin du cours alors que le signal d'arrêt des activités avait déjà été donné.

J'étais lesté pour les exercices de plongée libre, et la bouteille en plus sur le dos je raclais littéralement le fond. Et malgré cela, je n'en croyais pas mes yeux, de pouvoir rester dans l'eau sans remonter respirer. C'était vraiment une découverte merveilleuse.

Les jours suivants, je souhaitais voir venir la prochaine leçon le plus vite possible afin de pouvoir recommencer et de découvrir la technique des exercices en scaphandre.

Première sortie

Expliquer les rudiments de préparation et de technique de la plongée en scaphandre me paraissait peu aisé dans le cadre d'un exposé général. Je me suis alors souvenu de ma propre expérience ; j'ai préféré ce type d'exposé, plus vivant, en espérant que les aspirants-plongeurs et débutants qui me liront puissent en tirer profit. Voici donc le récit de cette première plongée.

Après avoir, pendant plusieurs mois, suivi et réussi une partie de l'enseignement élémentaire de la plongée (voir le chapitre consacré aux brevets et exercices), le moment était venu, afin de pouvoir homologuer ma première étoile plongeur C.M.A.S., de faire ma première plongée profonde dans le cadre de l'école.

J'avais acquis une partie du matériel comme le costume, les botillons et gants isothermiques, la ceinture et ses plombs, le profondimètre, les palmes et bien sûr le tuba et le masque. Le scaphandre, c'est-à-dire bloc-bouteille et détendeur, avait été loué au club.

La plongée allait se dérouler dans une ancienne carrière de pierre dont l'exploitation était terminée et qui était inondée. Comme nous n'avons pas beaucoup de plans d'eau où nous entraîner dans le nord, ces anciennes carrières font bien l'affaire et sont mises à la disposition de clubs fédérés par leur propriétaire. Avec un maximum de garanties de sécurité, les responsables des clubs permettent à leurs membres de s'y familiariser avec la plongée profonde et d'y pratiquer les exercices prévus par la fédération.

Le jour venu, après un bon briefing, il fut décidé que nous plongions à 5, deux moniteurs et trois débutants. La plongée ne dépasserait pas 15 mètres et ne s'effectuerait pas dans le «bleu», mais sur un plateau de sable avec de nombreux points de repères.

La préparation

Avant de nous équiper, le moniteur qui allait diriger la plongée nous rappela les principes fondamentaux de celle-ci. L'étape suivante consista à vérifier le bon état de notre matériel.

● Les vérifications

○ Nous avons, comme avant chaque sortie, vérifié la *pression de gonflage de la bouteille*, à l'aide d'un manomètre soit de surface ou submersible.

○ Nous avons ensuite vérifié si *l'O Ring* du siège de la

robinetterie était bien en place dans son logement. Nous l'avons humecté légèrement pour enlever des impuretés éventuelles.

○ *Le détendeur* a été monté sur le siège du robinet, sans trop serrer l'étrier de fixation. Comme dans mon cas, il s'agissait d'un détendeur dorsal, il a été monté «cornes» vers le haut.

Dans le cas d'un de mes amis possesseur d'un détendeur à deux étages, il fallut le monter de manière à ce que le second étage se présente bien à l'endroit.

○ Ensuite, *le robinet de la bouteille* a été ouvert à fond sans forcer et refermé d'un quart de tour, après quoi nous avons respiré quelques fois dans l'embout du détendeur.

Comme tout s'est bien passé au niveau de la respiration, pas de débit constant par exemple et qu'il n'y a pas eu de fuite entre le siège du détendeur et le joint torique (O Ring), on a refermé les bouteilles.

○ *Les détendeurs* sont purgés de leur air, pour le modèle dorsal, en inspirant dans l'embout et pour le buccal en appuyant sur le bouton de surpression.

○ On a réglé *les sangles* pour que le détendeur dorsal vienne au milieu des omoplates, et pour qu'il ne heurte pas la nuque pendant la plongée, ce qui est très désagréable. En outre, cette position au plus près du niveau moyen des poumons permet une respiration en équipression (ne présentant guère de différence avec la respiration aérienne).

Dans le cas du détendeur buccal, son positionnement n'a pas d'importance pour la respiration, mais il peut gêner le plongeur dans l'eau; à cette fin, le réglage des sangles peut être semblable à celui pratiqué pour le détendeur dorsal.

Mais en plus, le premier étage du détendeur peut être monté tête vers le bas, et si on utilise pour la bouteille un système de back-pack plutôt que celui du sanglage, le pack doit être remonté le plus possible par rapport à la bouteille elle-même.

○ On doit vérifier *la réserve*, en s'assurant qu'elle est bien fermée, donc tige vers le haut.

Pour ne rien oublier de ces opérations avant plongée, nous employons un terme mnemotechnique que voici : «*o-sup-in-ser-fon-ré*», ce qui se traduit donc par :
Vérifier
— l'O Ring,
— les sangles supérieures,
— les sangles inférieures,
— le serrage du détendeur sur la bouteille,
— le fonctionnement du détendeur,
— la position de la tige de réserve.

● **L'équipement**

Tout étant en ordre, nous nous sommes habillés.

○ En premier lieu *le costume*. Pour plonger en eau froide un modèle épais est nécessaire, mono-pièce ou deux-pièces qui servira comme nous l'avons vu au chapitre sur le matériel, de passe-partout.

○ Après le costume, *les botillons* ont été enfilés, *le couteau* avec sa gaine fixé au mollet et *le tuba* mis entre les sangles de celle-ci et la jambe.

○ *La ceinture de lest* a été bien serrée, pas trop cependant afin de ne pas entraver la respiration abdominale.
   Si elle n'est pas bien serrée, au moment du «canard» elle glisse jusqu'au-dessus de l'estomac, et par la suite à la remontée elle pend lamentablement sur les hanches. En ce sens les boucles resserrables en plongées sont beaucoup plus pratiques que les autres.

○ *Le profondimètre* a été mis au bras.

○ Après avoir mis un peu de salive sur *la vitre intérieure du masque* et étalé celle-ci, nous l'avons rincé, ceci afin que le masque ne s'embue pas ce qui gêne considérablement la visibilité.

○ Comme l'eau de ces carrières est très froide (± 4°C à cette époque) nous en avons pris un peu dans le masque après son rinçage pour nous *mouiller le cou et les épaules,* costume ouvert.

Cela fait l'effet d'une douche froide mais a l'avantage de prévenir la régulation thermique du corps en vue de ce qui l'attend et de diminuer considérablement les risques d'hydrocution.

○ Enfin équipés et prêts, nous avons réouvert nos *bouteilles* et essayé à nouveau nos *détendeurs.*

○ C'est après avoir mis nos *palmes* que nous avons mis nos *scaphandres* sur le dos, chacun aidant l'autre.

Une possibilité de mettre la bouteille munie d'un back-pack sur le dos seul, consiste à la déposer sur une surface plane, sangles bien ouvertes, ensuite s'asseoir dos contre le pack, passer un bras entre celui-ci et la sangle, puis l'autre, bien tirer sur les deux extrémités des sangles et se relever en s'aidant d'un genou, puis penché en avant bien faire sauter la bouteille sur le dos pour la placer convenablement, enfin serrer les deux sangles suivant nos dimensions et fermer la boucle ventrale.

Il est certain que cette opération s'effectue beaucoup mieux à terre que dans un petit bateau. Si on dispose d'une bouteille avec sanglage classique, comme c'était mon cas, il faut fixer la sous-cutale à la boucle de la ceinture de lest et ensuite fermer celle-ci pour que la bouteille soit bien maintenue et ne roule pas sur le dos.

La mise à l'eau

Après un coup d'œil pour voir si nous étions bien équipés, nous avons mis nos masques sans trop les serrer. Puis comme il s'agissait d'un ponton, nous nous sommes mis à l'eau à tour de rôle par un saut droit — le moniteur dirigeant le groupe en premier lieu, de façon à surveiller de là l'opération effectuée par les autres.

Plusieurs sortes de «mises à l'eau» existent et s'adaptent à la manière dont le plongeur se présente sur le plan d'eau. Elles diffèrent en effet en partant du bord, en s'exécutant d'une embarcation pneumatique ou d'un

MISE A L'EAU PAR SAUT
DU BORD VERTICAL

gros bateau à pont élevé. L'état de la mer joue également un rôle déterminant.

Sans entrer dans les détails techniques au sujet de ces
«mises à l'eau» ni généraliser, on peut dire qu'un **saut**

droit vertical va s'effectuer d'un ponton (comme dans la plongée - exemple qui précède) ou du pont d'un bateau si une ouverture le permet et la mer aussi.

Si celle-ci est formée, pour ne pas être déséquilibré, un **saut roulé** avec point de chute sur le dos peut s'imposer.

Pour l'embarcation pneumatique, assis sur les boudins on va réaliser une **culbute arrière.**

Pour une «mise à l'eau» par la plage avec une mer formée on va choisir de partir **dos tourné aux vagues,** puis se retourner et s'immerger dès que la profondeur le permet.

Quelles que soient les manières d'immersion choisies, on doit toujours bien maintenir le masque par une main contre le visage pour ne pas le perdre au moment du contact avec l'eau.

Le scaphandre doit être bien tenu par l'autre main et «collé au corps», surtout pour les bouteilles à sanglages classiques.

MISE A L'EAU D'UNE EMBARCATION PAR SAUT ARRIERE

Il est évident aussi qu'avant un saut on doit toujours s'assurer que le plan d'eau est bien dégagé. Si d'autres plongeurs suivent, après le saut, au retour en surface, il faut immédiatement dégager le point de chute.

Les différents modes de «mise à l'eau» sont développés en détail lors de l'enseignement de la plongée dans les clubs ou écoles. Leur pratique s'effectue au début souvent sans scaphandre afin d'en faciliter l'apprentissage. Une fois assimilés, ils sont répétés de nombreuses fois avec la bouteille dans des conditions faciles afin de doter le plongeur du «bon mouvement».

En immersion...

Revenons à notre plongée : tout le monde une fois réuni en surface, le moniteur nous a questionnés par l'intermédiaire du signe conventionnel — *«tout va bien?»* — auquel nous avons répondu par le même signe positif. L'un après l'autre à sa suite, nous nous sommes alors immergés.

En descendant, nous avons équilibré les oreilles et la cuve du masque au fur et à mesure, toujours sous la surveillance de nos deux moniteurs.

Ensuite, nous avons aperçu le fond, sur lequel nous sommes allés rejoindre le responsable du groupe. Là, il nous a à nouveau demandé si tout se passait bien, toujours par le biais du code de communication.

Après s'être rendu compte que psychologiquement tout était o.k., il nous a passé en revue, afin de voir si les sous-cutales de nos bouteilles ne s'étaient pas détachées, et si notre tige de réserve n'avait pas bougé.

Sous sa conduite nous avons commencé notre promenade au-dessus de vieux troncs d'arbres disposés çà et là sur le fond, de blocs de rochers et entre des rangées d'arbustes ayant étonnamment résisté à l'immersion et au temps.

Le vidage du masque

Après un certain temps de cette exploration, j'ai vu et senti mon masque se remplir d'un peu d'eau. Comme le vidage de masque est certainement un exercice important de la plongée sous-marine, et qu'il nous avait été enseigné et répété pendant des mois, je n'ai pas hésité à l'exécuter.

En effet, en immersion on doit être capable de vider plusieurs fois de suite le masque. L'éventualité d'un problème avec celui-ci est toujours à envisager. Un déplacement suite à un coup de palme, une infiltration d'eau sous la jupe (fréquente si on porte la moustache), un des côtés touchant la cagoule, une rupture de sangle etc. sont autant de problèmes déclenchant le vidage rapide et obligatoire du masque.

On peut dire que si on n'est pas capable de vider un masque, il ne faut pas envisager sereinement la plongée profonde en scaphandre, car cette situation peut amener le débutant à avoir une réaction négative, par exemple : une remontée trop rapide en surface.

Mais rassurez-vous, si c'est un exercice qui demande de s'habituer à de nouveaux réflexes — en effet, on doit supporter l'eau au contact des yeux ouverts et des muqueuses du nez, il est fort simple à réaliser et est répété de multiples fois lors de l'écolage. Il est d'ailleurs déterminant quant à la bonne réussite pour l'obtention des brevets.

● **Technique du vidage**

Il s'effectue soit sur l'apnée du plongeur, soit lorsque celui-ci s'alimente par un scaphandre.

La technique en piscine, donc à l'entraînement, consiste à s'immerger sur petit fond, sur les genoux et à enlever complètement le masque pour ensuite le remettre calmement sur le visage et souffler de l'air par le nez dans la cuve, tête légèrement en arrière de façon à avoir la vitre du masque parallèle à la surface en pressant modérément sur le haut de celui-ci afin que le bas de la jupe se soulève (mais pas trop) et que l'eau s'évacue

Vidage du masque

(principe de la cloche à plongeur).

Si cela semble compliqué à comprendre et à effectuer au début, par la suite avec volonté et pratique cela se réalise fort facilement.

A ce sujet, certains plongeurs dotés d'une bonne capacité respiratoire, d'une maîtrise de la technique et... d'un petit masque peuvent le vider facilement une douzaine de fois sur le temps d'une seule apnée. Donc, les moins doués d'entre nous, même s'ils ont à vider un masque grand comme un aquarium, doivent tout de même pouvoir y arriver.

En plus, il faut se dire qu'en plongée profonde le vidage s'effectue avec le détendeur en bouche et qu'on peut donc au début s'y reprendre à plus d'une fois s'il reste un peu d'eau. Par la suite, l'air étant parfois compté, cela deviendra différent, on aura intérêt à ne pas le gaspiller, mais comme, entretemps, on se sera bien accoutumé à l'exercice...

Il ne faut pas enlever le masque chaque fois qu'il se remplit d'un peu d'eau en plongée. C'est l'erreur que j'avais commise lors de ma première immersion profonde.

En effet, bien drillé par l'écolage, de l'eau dans le

masque signifiait pour moi le vider comme on me l'avait si souvent appris. Mais en l'enlevant, par cette température si basse, j'ai littéralement senti un coup de barre sur mes sinus, ce qui est loin d'être agréable. Il me suffisait pourtant de pousser sur le haut du masque comme expliqué plus haut, vitre parallèle à la surface : en soufflant légèrement, l'eau en serait tout aussi bien sortie, sans me donner ce coup de fouet... que j'avais bien cherché.

Je me suis vite empressé de souffler quelques fois dans le masque pour essayer de réchauffer les parties du visage couvertes par celui-ci. Comme on le dit très bien, l'apprentissage est quelque chose qui s'effectue aussi sur le tas.

Le lestage

Toujours, lors de cette première plongée en profondeur, nous fûmes également confrontés à un autre problème de la plongée en scaphandre : le lestage du plongeur.

Comme nous étions des débutants, nous ne descendions pas à plus de 15 mètres et de ce fait nous n'étions pas soumis obligatoirement à un palier de décompression à 3 mètres. En conséquence, nous nous étions lestés de manière peu importante, mais nous nous sommes rendus compte que pour ne pas toucher le fond à certains moments, nous devions nous appuyer sur les mains.

Si nous n'avions pas la sensation de lourdeur, comme souvent ressentie à des profondeurs plus importantes, le fait d'être à certains moments en contact avec le fond soulevait de la vase rien que par notre palmage. Dans ce cas, si nous avions possédé un gilet et été tout à fait au courant de sa technique, nous aurions pu en le gonflant légèrement nous équilibrer. Mais n'anticipons pas, chaque chose en son temps, nous aurons avant à nous familiariser avec cette technique.

La respiration

Un autre point important qui s'est manifesté pendant cette première plongée profonde et qui avait été également envisagé lors des cours théoriques et pratiques est la nécessité d'adaptation de notre rythme respiratoire.

Lors du baptême, lorsque l'élève s'aperçoit qu'il peut rester au fond tout en s'alimentant en air, il n'hésite pas à consommer celui-ci à profusion et il a bien raison d'ailleurs. Mais par la suite, on se rend compte que si on veut pleinement profiter des possibilités de son volume d'air, il faut prendre conscience de son rythme respiratoire, alors que sur terre ce rythme se réalise de manière inconsciente.

On va distinguer la différence entre l'inspiration et l'expiration ainsi que la proportion existant entre elles. C'est ce qui va déterminer le rythme. Celui-ci dépend d'abord essentiellement de la personnalité physiologique de chacun (capacité pulmonaire, morphologie) ensuite des circonstances psychiques (anxiété, émotivité) et enfin de facteurs extérieurs (température, entraînement, efforts).

Suite à tout cela, on voit que chacun doit trouver **son** rythme de croisière propre adapté aux besoins de la plongée du moment. C'est donc le rapport entre la phase d'inspiration et d'expiration, qui est important, la seconde devant être toujours plus longue que la première.

• La «petite» apnée

Il est aussi conseillé d'effectuer une petite apnée de courte durée après l'expiration. Celle-ci servant de point de repère du rythme, mais aussi de signal d'alarme de l'essoufflement. En effet, si on n'est plus capable de tenir cette apnée, c'est que l'on commence à s'essouffler (voir chapitre sur les accidents).

Cette apnée ne peut pas être longue sinon la dette d'oxygène contractée par l'organisme va nous obliger à consommer encore plus d'air pour y remédier alors que le but initial était d'économiser un peu de cet air.

Pour des plongées profondes, la durée de la petite apnée doit se transformer en un temps très court, temps d'arrêt de contrôle après l'expiration.

● Activités et respiration

Dans le cas où le plongeur doit changer de rythme respiratoire, comme pour faire un effort de remontée, ou lutter contre un courant ou se déplacer à une profondeur importante, une erreur souvent fort répandue chez le débutant est de croire qu'il va devoir respirer plus vite. C'est faux.

Il va d'abord devoir essayer d'inspirer plus profondément puis d'expirer plus longuement (le double de l'inspiration). S'il n'y parvient pas, il va alors devoir modifier son activité sinon il va risquer l'essoufflement.

Enfin, le début du contrôle du rythme respiratoire va coïncider avec l'installation du «second souffle».

Le retour

Poursuivons le récit de cette première plongée. Après avoir découvert l'environnement immédiat et jeté un coup d'œil à une maison à flanc de rocher, nous sommes revenus d'où nous étions partis, toujours sous l'œil vigilant de nos moniteurs, et sans avoir dû tirer notre réserve.

Nous sommes remontés en un peu moins d'une minute. Pour moi il était temps, je commençais à avoir froid.

Bien que ne devant pas faire de palier, nous en avons tout de même fait un à 3 mètres en-dessous du ponton, d'une durée de 3 minutes. Heureusement, j'ai pu profiter d'une corde fixant le ponton au fond, car j'éprouvais beaucoup de peines à me maintenir à cette profondeur.

Ayant consommé une partie importante de mon air, mais le volume de ma bouteille restant le même, je me rendais compte que mon poids apparent avait changé et que j'étais poussé vers le haut. Suite à ces réflexions, on s'aperçoit qu'un lestage parfait est quasi impossible. Chacun doit se connaître en ce sens, en sachant qu'un lest en eau douce et en mer n'est pas le même et que parfois il faut sacrifier à l'aisance en profondeur pour s'assurer la sécurité aux paliers, surtout si on plonge sans bouée compensatrice.

Après avoir bien regardé autour de nous si aucun obstacle ne se présentait en surface, nous avons regagné celle-ci. Un des moniteurs est remonté le premier sur le ponton, par l'entremise d'une échelle et nous a aidé à aller le rejoindre. Nous avons enlevé notre scaphandre dans l'eau, puis le lui avons donné. Ensuite beaucoup plus légers, nous sommes montés nous-mêmes.

Après avoir rejoint le vestiaire du club-house, nous nous sommes déséquipés, séance qui au début tout comme l'enfilement du costume est assez épique. Heureusement, que la plongée est un sport qui ne s'effectue jamais en solitaire et nous pouvons nous aider mutuellement.

Ensuite une fois notre matériel rangé dans nos sacs, nous nous sommes réunis au bar du club-house où devant un bon verre, en compagnie de nos familles, nous avons commenté notre plongée avec les moniteurs.

Bien qu'elle se fut déroulée dans un endroit assez inhospitalier à première vue, dans une eau froide et relativement sombre, avec vraiment peu de choses à voir, nous en conservons tous un excellent souvenir. Elle n'avait peut-être duré que 30 minutes, mais comme nous avions décidé de partir en vacances en Méditerranée avec le moniteur qui dirigeait ce baptême, elle nous permettait déjà de rêver aux charmes profonds de la mer.

Je profite de l'occasion pour saluer au passage l'esprit de dévouement qui habite la majorité des moniteurs, qu'ils soient bénévoles ou professionnels, ainsi que le merveilleux esprit de camaraderie que l'on trouve dans le monde de la plongée.

Les règles de la plongée en scaphandre

Si j'ai utilisé jusqu'ici l'exemple de ma première plongée en profondeur, peut-on à présent, suite à cet exemple, parler de règles et expliquer sans développer tout un cours — ce qui n'est tout de même pas le propos de ce livre — comment plonger en scaphandre ?

A cette question, il est très difficile de répondre car il nous faut tenir compte de beaucoup de facteurs qui doivent nous faire réagir de manières différentes. Ces facteurs peuvent être :

— *le niveau de connaissance des plongeurs*. S'agit-il d'un baptême, de plongeurs confirmés, ou de plongeurs débutants ou moyens ?

— *le nombre de plongeurs*. Il est plus facile d'organiser une plongée pour deux personnes que pour dix personnes ;

— *le lieu de plongée*. Est-ce une plongée en pleine mer, une plongée sur la côte, dans une crique, loin ou près du port ?

— *le type de plongée*. Est-ce une plongée profonde ou non, une plongée promenade, d'exploration, de recherche, pour photos, sur une épave ou dans des grottes ?

— *les conditions de plongée*. Du bord, d'un bateau petit, grand ? L'état de la mer : calme, agitée ? Y a-t-il du vent, du courant en surface, au fond ? L'eau est-elle froide, chaude ? De quel genre d'équipement disposons-nous ? La visibilité dans l'eau est-elle bonne, mauvaise ? Est-ce une plongée de jour ou de nuit ?

Comme on le voit le nombre de facteurs qui influencent une plongée est tellement grand qu'il est très difficile d'expliquer comment elle va se dérouler, car elle doit s'adapter aux circonstances du moment.

Cependant, un certain nombre de règles sont toujours d'application, et il faut en tenir compte, comme le maintien de la sécurité, le respect des tables, les possibilités matérielles et physiques. Il ne faut pas oublier non plus que les rôles dans une plongée ne sont pas les mêmes pour tout le monde.

Si pour le débutant il est relativement facile de plonger, se laissant guider et ne s'occupant que du milieu qui l'entoure et de sa propre sécurité, il n'en est pas de même du chevronné. Lui aussi s'occupe du milieu et de sa sécurité mais doit en plus veiller à la sécurité de son compagnon afin qu'il ne lui arrive rien de fâcheux. C'est une grande responsabilité qu'il convient d'étudier avec soin et prudence, et qu'il faut laisser à des plongeurs qualifiés.

La plongée en école

Une des premières règles de plongée à respecter est de ne jamais plonger seul tant pour un débutant que pour un chevronné. Si cela est parfaitement compréhensible pour un débutant qui ignore la majeure partie des problèmes qu'il peut rencontrer, il ne faut jamais oublier que le meilleur des moniteurs, malgré toutes ses connaissances, ses capacités et son expérience, est lui aussi soumis aux impondérables tant techniques que physiques.

Ayant compris cela, on va donc pour plonger créer ce qu'on appelle une **palanquée**, c'est-à-dire que deux ou plusieurs plongeurs, solidaires l'un de l'autre, vont former un groupe et plonger ensemble.

Choix d'un leader

A partir du moment où un groupe se forme, il faut un leader. Ce leader est appelé chef de palanquée, c'est lui qui tant avant la plongée que pendant et après celle-ci en prend la responsabilité.

Il est évident qu'on ne peut confier cette tâche à un débutant. Comment diriger les autres si l'on n'a pas soi-même les connaissances requises?

C'est pourquoi on ne crée jamais de palanquées composées uniquement de débutants, mais bien des palanquées avec toujours comme leader soit un moniteur confirmé, soit un plongeur ayant fait la preuve de son expérience tant en plongée que dans la direction de celle-ci.

Bien sûr, si la palanquée se compose uniquement de plongeurs chevronnés, le choix par ceux-ci d'un chef devient plutôt symbolique. En effet chacun de ses membres sachant exactement ce qu'il doit faire, la plongée se déroulera dans des conditions d'extrême facilité et compréhension.

Lorsque la palanquée se compose de plusieurs membres, le chef de celle-ci peut désigner un adjoint qu'on appelle **serre-file**. Son rôle est de seconder le chef en veillant à ce qu'aucun des membres intermédiaires de la palanquée ne se perde ou reste en arrière.

Une de ses attributions consiste aussi à prendre la direction de la palanquée si pour une raison ou une autre le leader doit s'occuper d'un membre en particulier.

Les étapes de la plongée

Briefing

Une fois la «palanquée» constituée, le chef de celle-ci va, soit avant soit après vérification du matériel, faire ce qu'on appelle un «briefing», c'est-à-dire qu'il va expliquer aux membres du groupe ce qu'ils vont effectuer comme genre de plongée, sa profondeur et sa durée approximative, il va faire ressortir les difficultés éventuelles que l'on peut rencontrer comme les courants ou la mauvaise visibilité.

S'il en a le besoin, il va désigner le serre-file et lui donner ainsi qu'à chacun ses dernières recommandations. Ensuite, une fois que tout le monde est équipé et bien sanglé, il se met le premier à l'eau et de là surveille la mise à l'eau de sa palanquée.

Descente et exploration

Lorsque tout le monde est réuni en surface, et que tout va bien, le leader donne le signal de l'immersion, c'est à ce moment que commence le temps de plongée. Au cours de la descente, il s'assure que tout est normal et qu'aucun membre de la palanquée n'éprouve de problèmes d'équilibrage.

Une fois la profondeur désirée atteinte, si tout se déroule toujours normalement, le leader, toujours lui, désigne la direction à suivre. Il montre les choses intéressantes à voir et fait participer les autres à la joie de ses découvertes. Il attire de ce fait l'attention de ses compagnons sur la vie du milieu dans lequel ils évoluent, tout en les surveillant étroitement. Une fois le temps de plongée écoulé, il donne le signal de remonter.

Remontée

Tous ensemble à la même allure, les membres de la palanquée rejoignent un niveau déterminé de paliers s'il y en a à faire, et de toute façon la profondeur de 3 mètres pour y effectuer un palier de principe de 3 minutes si l'on a plongé dans la courbe de sécurité (voir page 31). Enfin, c'est toujours tous ensemble qu'ils rejoignent la surface ; le chef de palanquée, à l'inverse du départ, sort le dernier de l'eau. A ce moment, se termine la plongée.

Plongée successive

Si une deuxième plongée est envisagée, on note l'heure d'arrivée en surface ainsi que le coefficient se rapportant à la plongée qui vient d'être effectuée, et ce afin de pouvoir calculer une plongée successive.

Débriefing

Une fois que tout le monde est déséquipé, le chef de palanquée fait ce qu'on appelle le «débriefing» c'est-à-dire qu'il commente la plongée.

Il détaille ce qui a été rencontré, mais aussi corrige ou encourage les membres de la palanquée suite à leur comportement pendant la plongée. S'il y en a, il fait part des remarques concernant le lestage trop important ou insuffisant.

La plongée en bateau

Si plonger dans le cadre d'une école ou d'un centre de plongée s'avère relativement simple, tant pour le débutant que pour les chevronnés, il n'en est pas de même pour ceux qui possèdent un bateau et qui veulent plonger de manière **indépendante**.

Quelques amis décident de passer leurs vacances ensemble pour plonger : ce peut être une excellente formule, pour autant que dans le groupe il y ait au moins un plongeur confirmé qui puisse diriger les plongées envisagées, en toute sécurité. Ceci dit, il convient de prendre quelques précautions.

● **Ce qu'il faut connaître**

○ l'adresse et le numéro de téléphone du caisson multiplace, ainsi que de l'hôpital ou poste de secours les plus proches. Egalement le numéro d'appel pour les transports d'urgence tels qu'ambulance, pompiers ou éventuellement hélicoptère ;

○ les endroits où plonger ainsi que les dangers que l'on peut y rencontrer ; pour cela, l'emploi des cartes marines, s'avère être un excellent support ;

○ la météo, et les prévisions de celle-ci pour les heures qui suivent, également la dominance des vents de l'endroit où l'on désire se rendre ;

○ l'existence éventuelle, dans les pays ou régions où on se trouve, d'une réglementation légale nationale ou locale concernant les activités sub-aquatiques. Cela peut parfois éviter bien des désagréments, tels que saisie du matériel et amendes.

● **Ce qu'il faut emporter**

○ En ce qui concerne le bateau, il doit être en bon état et avoir à son bord tout «l'armement» nécessaire. Il ne faut pas oublier qu'il existe une réglementation maritime internationale qui impose la présence à bord d'un bateau de toute une série d'articles pour aider à la sauvegarde de la vie humaine en mer.

○ A ces articles il faut ajouter tout ce qui concerne l'organisation de plongée en mer, tel que bouteille gonflée de réserve, détendeur de réserve, fanion de plongée, tables de plongée, ligne pour y fixer une gueuse (poids mort servant à tendre un filin dans l'eau), bouteille d'oxygène plus inhalateur, aspirine, eau ainsi qu'une pharmacie permettant de faire face aux premiers soins.

○ Enfin, tout le matériel destiné à la plongée proprement dite.

Comme on le voit, organiser des plongées de manière indépendante, demande beaucoup de soins et des moyens importants, souvent plus onéreux que la fréquentation d'une école ou d'un centre de plongée.

La plongée spéléologique

Elle se révèle extrêmement intéressante, quant aux multiples découvertes qu'elle peut entraîner. Mais c'est un type de plongée très particulier, s'effectuant dans des conditions souvent très difficiles.

La température de l'eau avoisinant le 0°C, la turbidité de celle-ci, l'obscurité et l'étroitesse de certains boyaux créent une somme de points négatifs réunis dans la même plongée.

Elle exige un matériel particulièrement fiable et ne peut s'adresser à des amateurs voulant improviser en la matière, car elle demande une préparation nécessitant des renseignements importants sur les lieux à explorer, afin qu'elle s'y déroule en sécurité. Elle est pratiquée par des plongeurs confirmés ayant également de bonnes notions de spéléologie. Enfin, dans certains endroits où elles s'effectuent, ces plongées soumettent le participant aux conditions de la plongée en altitude.

Le code de communication

Un des problèmes rencontré dans tous les types de plongée, est le fait que la communication entre plongeurs par la parole est impossible. Aussi pour pallier à cet handicap, a-t-on élaboré un code de communication par les mains, que voici.

Tout va bien

Ca ne va pas

Je suis sur réserve

Je n'ai plus d'air

Je ne parviens pas à
ouvrir ma réserve

Je suis essoufflé

Stop
Restez où vous
êtes

Montez   Descendez

Signal de détresse en surface

tout va bien
avec lampe ou
de nuit

ça ne va pas
avec lampe ou
de nuit

moi

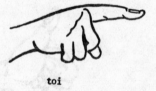

toi

Découvertes, faune et flore

Nous en avons déjà parlé lors de notre introduction, il existe de multiples finalités à l'immersion de l'homme dans le milieu aquatique. Mais l'une des principales dans le cadre de la plongée sportive qui nous intéresse ici, est certainement l'exploration sous-marine.

Si les divers entraînements soit en piscine ou directement en plongée profonde sont très intéressants et nécessaires, ils ne représentent toutefois pas pour la majorité des plongeurs l'essentiel de leur motivation. Celle-ci demeure avant tout la découverte de la mer, avec ses multiples formes de vie.

Les exercices et entraînements doivent avoir pour but que nos loisirs sous l'eau se passent le mieux possible. Lorsqu'une période de liberté, nous dégageant de nos obligations professionnelles, se présente et qu'elle est utilisée pour la plongée, nous en profiterons au maximum si nous y sommes bien préparés.

Le plongeur qui est bien à l'aise dans l'eau ne doit pas constamment penser à lui. Il peut se mouvoir en sécurité totalement attentif au milieu ambiant, découvrant ainsi la plupart des animaux y vivant. Ce qui n'est pas toujours le cas du débutant ou du plongeur en manque d'aquaticité qui doit se surveiller constamment et est de ce fait très distrait.

Donc, supposés bien préparés et perméables à l'ambiance, qu'allons-nous découvrir? Tout dépend évidemment de l'endroit où l'on décide de plonger. Comme nous le soulignions déjà pour la chasse, nous ne trouvons pas les mêmes fonds ni les mêmes animaux d'une mer à l'autre.

Je dis **mer**, parce que les plongées en eau douce, même en ce qui concerne des grands plans d'eau, comme par exemple le lac de Garde, ne permettent pas des découvertes de forme de vie et de décors aussi différents et surprenants que ceux offerts par l'élément marin. Pour ces raisons, considérons-les encore une fois comme de bons endroits d'entraînement et n'en parlons plus ici.

La Méditerranée

Parlons en premier lieu des plongées en Méditerranée. Pourquoi en premier lieu? Parce qu'elle représente le type de mer accueillante à plusieurs titres :
— en été, l'eau y est relativement chaude (20 à 25° C), claire, on ressent à peine les effets des marées, et il y a peu de courants ;
— si le temps se détériore et que la mer forcit, cela ne dure en général pas très longtemps (on ne gâche donc pas ses vacances) ;
— pour les plongeurs accompagnés de leur famille, dont tous les membres ne plongent pas, la région offre également beaucoup d'autres intérêts.
Somme toute, pour la majorité des plongeurs euro-

péens, évoluer dans les eaux du bassin méditerranéen est un but primordial concrètement réalisable.

Faune et flore

Imaginons une plongée avec ses découvertes, dans une zone accessible à un bon plongeur, c'est-à-dire jusqu'à 40 m environ. Au-delà de cette profondeur, on descend beaucoup moins souvent car la vie qui nous intéresse se raréfie considérablement, excepté pour le corail.

La flore

• **Le corail** se trouve dans de petites cavités rocheuses mais il faut descendre de plus en plus pour le voir car, excepté de très petites branches, il a disparu des faibles profondeurs, emporté comme souvenir par les plongeurs amateurs ou encore ratissé par les professionnels.

Le corail, le vrai (il en existe également du faux qui se reconnaît très vite car il est moins rouge, se casse très facilement et on le trouve en général en bouquet) est employé en bijouterie. Il sert dans la création de bagues, colliers, boucles d'oreilles et pendentifs.

Les professionnels qui en font le commerce et qu'on appelle d'ailleurs les «corailleurs», sont obligés de descendre maintenant jusqu'à 85 m (en plongeant toujours à l'air) pour que leurs immersions soient rentables. Le temps passé aux paliers de décompression est énorme et leurs plus grands ennemis, même en été, sont le froid et l'ennui éprouvé au cours de ces attentes.

Le corail rouge, orienté tête vers le bas dans les failles rocheuses où on le trouve à l'abri de la lumière, est formé d'un squelette de calcaire recouvert de tissus mous composés de polypes blancs à huit pétales, par l'entremise desquels il se nourrit. Si le plongeur l'approche doucement, il peut alors bénéficier en l'éclairant du spectacle féérique du «corail en fleur».

● Un autre spectacle grandiose est celui de la vue de grandes **gorgones** vivant sur un tombant rocheux profond. Elles ont la même structure que le corail rouge : un squelette calcaire ou corné mais plus flexible que celui du corail, recouvert d'un tissu mou formé d'animaux vivant en colonies.

Les gorgones vivent à toutes les profondeurs, depuis les abords de la surface jusqu'à 1.000 m. Celles qui nous intéressent se trouvent entre 15 et 40 m.

Leurs couleurs varient du jaune-orangé en passant par le rouge jusqu'au violet-mauve. Lorsqu'on les éclaire, la richesse de leurs coloris se révèle, nous surprenant énormément tant elles semblaient ternes un instant auparavant.

● Entre les gorgones sur le même tombant, on peut trouver dans des petits trous, de splendides **anémones de mer** à très longs tentacules verts à bouts mauves. Elles ondulent dans un léger courant et ressemblent à de jolies fleurs. Bien que leurs tentacules soient urticants pour bon nombre de poissons dont elles se nourrissent et notamment pour nous (il vaut mieux ne pas toucher ces anémones sans protection).

Certaines petites crevettes vivent au-dessus d'elles ou à proximité immédiate, profitant de leur défense naturelle contre d'éventuels prédateurs.

D'autres anémones assez grandes vivent dans les mêmes parages, les **cérianthes**; elles ont le corps en forme de long tube et secrètent autour de celui-ci une gangue composée de grains de sable et de détritus. Ce corps est ainsi protégé et les tentacules sortent de l'enveloppe dans laquelle ils se rétractent en cas de danger.

On en trouve de différentes couleurs : roses, brunes, blanches ou noires. Lorsque leurs tentacules sont totalement déployés afin de filtrer le plancton ou de guetter une proie, elles ressemblent également à de splendides fleurs.

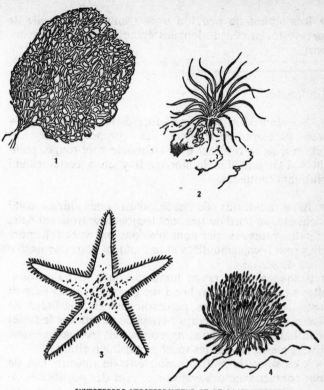

INVERTEBRES MEDITERRANEENS ET DE L'ATLANTIQUE

1. Gorgone   3. Etoile
2. Cérianthe   4. Anémone

● Comme on parle de fleurs, on peut également découvrir une sorte de faux corail appelé «**rose de mer**» aux dentelles très fines et fragiles.

● Plus loin, continuant toujours l'investigation du tombant, en regardant dans de petites grottes, on découvre leur plafond entièrement tapissé de petits **polypes** ressemblant à de petites anémones. Ils resplendissent d'un jaune vif au moindre éclairage.

● Remontant un peu, on trouve une grande **étoile de mer** verte, armée de longues épines sur l'extérieur des bras.

La faune

● Arrivés à 35 m, notre présence divise un ban de **poissons barbiers** surplombant les gorgones. Une fois éclairés, ils se révèlent d'un splendide rose-rouge, pointillés d'un œil bleu lumineux. Il y en a certainement plusieurs centaines.

● Juste au-dessus de nous, dans une anfractuosité rocheuse, au bord du tombant toujours, se trouvent deux grandes **rascasses** que nous n'avions pas vues tellement elles sont bien camouflées et se tiennent dans une immobilité de statue.

Braquant notre rayon lumineux dans leur direction, elles se déplacent d'un bond sec et rapide, nous laissant juste le temps de les percevoir beiges, marbrées de tâches rougeâtres, le corps hérissé de pustules et le faciès rébarbatif. Comme leurs nageoires sont très venimeuses, il vaut mieux ne pas les toucher par inadvertance.

A ce sujet, la méfiance doit être de rigueur, lors de tout contact avec des endroits offrant des possibilités de camouflage.

● Poursuivant notre remontée, nous découvrons des petites touffes de soie ou de plumes sortant d'un tube fin d'une quinzaine de cm, fiché dans le sable. Ce sont des vers sédentaires tubicoles appelés **spirographes** ou **sabelles**, voisins du ver de terre.

A l'aide d'un mucus qu'ils sécrètent, ils forment leur enveloppe protectrice, constituée de sable et de vase comme dans le cas des cérianthes décrits plus haut.

Si l'on veut profiter du spectacle, il faut les approcher doucement, sinon ils s'évanouissent rapidement dans leur tube dont ils émergeaient un instant auparavant.

Si ce mouvement de rentrée s'effectue trop brutale-

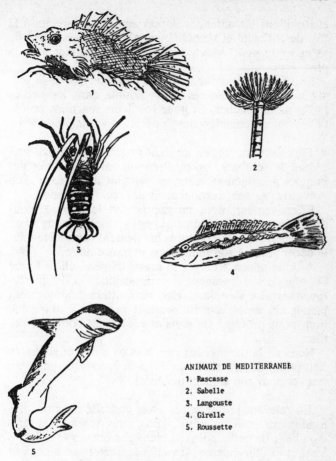

ANIMAUX DE MEDITERRANEE

1. Rascasse
2. Sabelle
3. Langouste
4. Girelle
5. Roussette

ment, ils risquent de perdre leur corolle en spirale, qui leur sert de cils vibratiles pour amener les nourritures planctoniques et autres vers la bouche.

● Continuant toujours, notre attention est attirée par deux longues antennes sortant d'un trou dans les rochers. Nous nous en approchons et notre première pensée se confirme : il s'agit d'une fort belle **langouste**. Nous lui chatouillons les antennes doucement et, empreinte à la fois de curiosité et de méfiance, elle sort légèrement de sa cachette pour nous permettre de la détailler un peu plus.

En regardant autour de nous, nous constatons la présence d'autres membres de sa famille dans les petites failles assez proches. Et pour voir leurs réactions et leur taille, nous recommençons l'opération «antennes».

● Plus haut encore, en arrivant presque au plateau précédant le tombant, notre attention est attirée par des grappes gélatineuses blanches pendant au plafond d'un gros trou; ce sont certainement des œufs de **poulpe**.

Effectivement, nous en approchant lentement, nous apercevons la mère poulpe qui nous observe, nous ayant déjà repérés. Celle-ci est très habilement camouflée dans le décor grâce à son mimétisme extraordinaire.

Afin de mieux protéger sa masse ovigère, elle a fermé l'entrée de son logement avec des cailloux et des pierres ramassés aux alentours. Elle ne quittera pratiquement jamais cet emplacement pendant la période d'incubation, pour protéger les œufs et également pour les ventiler.

Nous ne la dérangeons pas dans ce moment si important pour elle et nous la quittons en éprouvant un grand respect pour son instinct maternel.

● En relevant la tête après avoir consulté montre, profondimètre et manomètre, nous nous voyons entourés d'un banc de petits poissons bleus aux queues semblables à celles des hirondelles. Il y en a également comme pour les barbiers de tout l'heure plusieurs centaines. Ce sont les **castagnoles** ou **demoiselles de mer**.

Comme le temps avance et que le volume d'air de nos bouteilles diminue, nous retournons vers la chaîne d'ancre de notre bateau pour y effectuer notre palier.

● En passant au-dessus d'un herbier, nous apercevons des **étoiles** dont la couleur rouge tranche merveilleusement vers le vert des plantes appelées «posidonies». Le coup d'œil en vaut toujours la peine ainsi que celui de gros **oursins** tout mauves ou maculés de blanc.

● Pendant la durée du palier, nous avons suivi avec beaucoup d'attention des groupes de **girelles**, poissons labres allongés, batifolant au-dessus de l'herbier avec d'autres poissons argentés lignés de noir, du nom de **sars**.

Une fois remontés sur le bateau et déséquipés, nous commentons notre plongée. Celle-ci a été très belle et spectaculaire. Elle nous a offert une palette très diversifiée d'animaux intéressants à divers titres. Nous pouvions être contents de notre journée.

Il est certain, vu le choix des lieux de plongée, que l'environnement va souvent changer d'aspect, et c'est très bien ; là nous rejoignons pleinement l'idée de découverte qui nous habite encore, nous les hommes des sentiers battus du XXe siècle.

On ne peut pas toujours s'immerger sur le sec (haut fond rocheux formant un massif et se découpant par rapport au reste du fond) le plus connu de l'endroit, même si le revoir nous apporte encore de nouvelles joies. Mais par contre en partant à l'aventure, nous sommes tributaires d'une plongée morne sur le sable ayant raté l'endroit que l'on cherchait, pourtant bien expliqué par les pêcheurs locaux. Ce qui nous laisse un goût d'amertume, les vacances étant en général si courtes.

De très nombreux autres spécimens de faune et flore peuvent encore être rencontrés en Méditerranée. Il est impossible d'en parler ici ; si l'on veut être mieux renseigné à ce sujet, il faut faire l'acquisition d'un ouvrage spécialisé ou... venir rejoindre la grande famille des plongeurs.

Précautions à prendre

Une question que nous pouvons encore nous poser et qui a d'ailleurs été évoquée au chapitre des accidents est la suivante : existe-t-il des dangers provenant des animaux et plantes rencontrés ?

En règle générale, il ne faut jamais toucher à main nue une plante ou tout type d'animal inconnu. Il ne faut pas par curiosité mettre les mains dans chaque trou. Le danger est le même pour toute personne caressant systématiquement tous les chiens et chats qu'elle rencontre.

Le **poulpe** est plus impressionnant que méchant et beaucoup de plongeurs aiment jouer avec lui, ce qui est toujours spectaculaire et amusant, mais comme cet animal est pourvu d'un bec semblable à celui d'un perroquet, après un moment de frayeur, il peut en avoir assez et vous mordre avant de se libérer.

En ce sens, si le plongeur arrive dans l'élément aquatique avec l'esprit du conquérant, s'imaginant qu'il n'a qu'à disposer de celui-ci et de ses habitants, il doit fatalement s'attendre à un problème venant d'un de ses hôtes qu'il voudrait un peu trop forcer.

Indépendamment de cela, il faut se méfier de quelques grands animaux, tels la **murène**, la **raie pastenague**, armée d'un aiguillon sur la queue, ainsi que la **roussette**, de la famille des squales, qui atteint entre 80 cm et 1 m : elle n'attaque pas l'homme (au contraire, elle s'enfuit à sa vue) mais elle peut mordre pour se dégager, une fois prise.

En conclusion, en plongeant dans une étroite zone côtière comme c'est souvent notre cas, les possibilités de mauvaises rencontres sont très réduites et le bon sens et la prudence de chacun jouent un rôle déterminant dans l'élimination des risques.

Découvertes en plongée

Plongée de nuit

Une manière très différente de voir le milieu marin est certainement la plongée de nuit. Elle demande une organisation précise et doit être réservée à des plongeurs confirmés et munis d'une bonne lampe. Elle est extrêmement dépaysante.

Il est très intéressant de voir le comportement des animaux la nuit, lampe éteinte, puis allumée. Les uns donnent l'impression de dormir, les autres chassent pour se nourrir. Certains, éblouis par la lumière, sont décolorés et ne bougent absolument pas. D'autres encore, plus nerveux s'enfuient immédiatement. Toutes les réactions sont possibles.

Les couleurs révélées par les invertébrés (anémones, polypes) une fois éclairés, sont surprenantes. On garde de ces plongées un souvenir impérissable.

Les grottes et les tunnels

Il est extrêmement plaisant de s'aventurer dans ces endroits qui sont des sources d'étonnements et de découvertes extraordinaires. Les sites que l'on y découvre sont vraiment inhabituels.

Les plafonds des grottes souvent recouverts de vie font la joie des photographes et des amateurs de faune et flore.

Cependant, comme pour les plongées de nuit, ces visites sont réservées à des plongeurs chevronnés, disciplinés et conscients de pouvoir retrouver la sortie. On doit être équipé d'une lampe lorsqu'on s'y aventure, calculer le temps mis pour entrer et en tenir compte pour le retour. Si les risques de soulever des nuages de vase sont apparents, il vaut mieux se munir d'un «fil d'ariane» avant d'y entrer.

Enfin, si une poche d'air s'est formée au sommet du plafond d'une grotte, il ne faut surtout pas y respirer comme montré trop souvent au cinéma où le héros en manque d'air dans la grotte ne doit la vie sauve qu'à cette opportunité. En réalité cet air qui a des possibilités d'être un dégagement de gaz peut être franchement toxique.

Dans les tunnels, il faut toujours faire attention de ne pas rester accroché dans les parties étroites.

Les épaves modernes

Elles représentent toujours une découverte exception-
nelle. Je me souviens d'une plongée sur l'épave de l'*Ar-
royo*, cargo reposant bien droit par 38 m de fond.

La plongée s'étant effectuée par eau particulièrement
claire, l'épave était visible de «haut» et son spectacle me
laisse encore rêveur aujourd'hui, tant il était impressionnant.

Une fois arrivé à son niveau, je pus constater que ses
tôles étaient très concrétionnées et qu'elle était habitée
par des centaines de poissons et invertébrés. Des spirographes y avaient élu domicile ainsi que des anémones et
différents coquillages. Encore une fois ce genre d'endroit
est un vrai paradis pour les chasseurs d'images.

Cependant, il faut émettre des réserves quant à la
sécurité du plongeur qui veut s'aventurer dans une
épave. Les risques sont grands de voir une ou des parties
de celle-ci s'effondrer sur le curieux ou de le voir coincé
ou accroché malencontreusement par une pièce de son
équipement.

Donc grandes joies, mais aussi prudence, l'extérieur
étant suffisamment spectaculaire.

Archéologie sous-marine

Pour tout plongeur qui se respecte, découvrir un morceau de vase antique à deux poignées — appelé **amphore**
— est à la fois une grande chance et une grande récom-
pense à ses efforts aquatiques.

Peu importe que ce soit un morceau de col, un col,
avec une anse ou les deux, tout cela est le bienvenu. Mais
s'il s'agit d'une amphore entière, c'est un véritable don
du ciel.

Ces vases servaient pour le stockage et le transport du
grain, du vin, de l'huile, des olives et des parfums. Il en

existe de plusieurs formes et tailles différentes, provenant de diverses régions comme l'Egypte, la Grèce, Rome, Carthage ou l'Ibérie.

Les amphores étaient entreposées sur les bateaux et certaines étaient pleines lors du naufrage. Celles ne servant plus devaient être jetées par-dessus bord car jugées trop encombrantes sans doute.

Ce qui étonne est de savoir que ces poteries, âgées de ± 2.000 ans, soient encore dans un état de conservation privilégiée, en-dessous des concrétions qui les recouvrent. C'est évidemment leur grand âge et leur provenance qui doivent nous fasciner et les rendre si prisées. Mais à ce titre, comme elles ont attiré autant d'amateurs, et même de professionnels qui en ont fait un véritable trafic, on peut se demander comment en trouver encore. Sans doute parce que pendant au moins douze siècles des bateaux avec des amphores à leur bord ont sillonné la *Mare Nostrum* — la Méditerranée des Romains.

On peut aussi trouver d'autres choses que des amphores. Des assiettes et des tuiles romaines, des lampes à huile, des vestiges d'épaves antiques — mais celles-ci sont en général réduites à leur plus simple expression, c'est-à-dire quelques morceaux de bois plus ou moins grands, éparpillés sur le fond —, des jas d'ancre etc... Là encore, au gré de nos plongées, la mer peut nous réserver d'énormes surprises.

La technique archéologique

Il est certain que si l'on veut faire du bon travail dans la recherche archéologique, on doit se renseigner, avant de se déplacer, sur l'endroit de plongée supposé. La route du bateau doit être étudiée soigneusement ainsi que les vents, écueils, secs, qu'il aurait pu y rencontrer et qui auraient contribué à son naufrage. Sa cargaison doit être également vérifiée, si possible.

Sans ces connaissances, la découverte de vestiges importants tient de la chance pure ou... de bons renseignements des marins ou pêcheurs locaux.

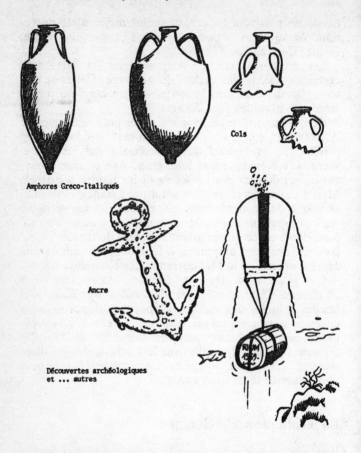

Amphores Greco-Italiques

Cols

Ancre

Découvertes archéologiques
et ... autres

Si on découvre une amphore entière en grosse partie enfouie dans le sable, une des difficultés majeures est de l'en déloger très lentement, sans abîmer ou risquer de la casser. L'autre est de la remonter à la surface également sans dommages.

En ce sens, le **ballon de relevage** est un moyen idéal de remontée. On le fixe à l'objet voulu et on le gonfle d'air avec l'embout du scaphandre par exemple, ensuite il le remonte sans efforts.

La législation

Attention, et là beaucoup de plongeurs semblent très mal informés, les différentes législations en vigueur dans les pays où l'on plonge interdisent de sortir quoi que ce soit du milieu aquatique. Et ceci est valable aussi bien pour les animaux que pour les objets ou épaves.

Aller à l'encontre de ces lois expose à des sanctions graves variant d'un pays à l'autre.

En France

En cas de découverte, il faut relever le lieu exact, la profondeur et la date pour en aviser l'administration des affaires maritimes qui peut alors l'identifier et éventuellement faire procéder par la suite à des fouilles poussées dans la même zone, si elle le juge nécessaire. Effectivement, tout un site archéologique important peut parfois être enfoui sous les sédimentations de l'endroit sans que l'on s'en rende compte.

Toutefois, dans le cas d'un objet isolé, déclaré à l'administration des affaires maritimes, l'administrateur peut en remettre la propriété au déclarant avec l'accord du directeur régional des Antiquités. Si l'objet est gardé comme pièce de collection publique, le déclarant est indemnisé.

Les côtes ouest de l'Europe

Ces régions nous offrent, à nous Européens, des longueurs de côtes énormes allant du nord de la Norvège jusqu'au sud du Portugal, avec des conditions de plongée et un environnement évidemment différents selon les endroits.

Si ces régions et même l'Atlantique semblent souvent

moins attirer la plupart d'entre nous, ce n'est pas en raison du manque d'intérêt offert par leurs fonds, mais à cause des mauvaises conditions climatiques qui y règnent souvent, même en été en période de vacances.

Ce sont en général des plongées effectuées dans des conditions difficiles et qui s'adressent à des plongeurs bien aguerris. Ces derniers font souvent un déplacement de plusieurs centaines de kilomètres dans la journée pour aller plonger dans le coin de mer le plus proche de chez eux. Cela les change en effet, des plans d'eau douce de l'intérieur du pays ne fût-ce que par la faune et la flore marine qu'ils veulent y rencontrer.

Les côtes méditerranéennes présentent, à peu de détails près, les mêmes caractéristiques pour le plongeur, que celui-ci se trouve sur la Côte d'Azur ou dans une île des Cyclades. Dans le cas des côtes ouest de l'Europe, par contre, il est évident que, la zone étant tellement étendue, on ne peut absolument pas comparer le nord et le sud.

La mer de Norvège

Dans les fjords, l'eau est moins froide qu'on ne le redoute grâce au courant réchauffeur du Gulf Stream. La visibilité y est assez bonne même au-dessous de 20 m. On y rencontre de grands crabes sur des fonds rocheux.

La mer du Nord

La visibilité y est en général très mauvaise. Les amateurs belges et hollandais plongent dans un bras de l'Escaut, appelé en Néerlandais *Oosterschelde*.

On y rencontre des crabes de toutes tailles, des tourteaux cachés dans des éboulis de roches, ainsi que des homards. Certaines variétés d'anémones et d'étoiles de mer de couleur grise sont aussi présentes. On peut aussi y voir des bernard-l'ermite et des syngnathes, animal ressemblant à l'hippocampe, mais de forme plus allongée.

Comme poissons, on trouve des soles, des plies et des anguilles. La région est également bénie pour les amateurs d'huîtres, bien que celles-ci, tellement convoitées ces dernières années, se fassent actuellement de plus en plus rares.

Compte tenu des courants et marées, avec lesquels il faut composer, et si la clarté de l'eau le permet, ce sont des plongées fort agréables. Mais quand l'eau est trouble, suite au vent et au mauvais temps, on ne voit absolument rien même à 30 cm et cela malgré une lampe très puissante.

En Bretagne

On y rencontre des sites de plongées fort intéressants. Ils sont constitués d'éboulis rocheux, très poissonneux, servant d'abris à une multitude de crustacés (crabes, homards, araignées...) et de gastéropodes (coquilles Saint-Jacques, palourdes, praires, ormeaux, etc.), contrastant avec des fonds de sable.

Une caractéristique particulière des îles des Glénans vient de la présence à certains endroits, de forêts de grandes algues vertes foncées qui ondulent avec la mer et que l'on nomme **laminaires**. Leur découverte est impressionnante pour le plongeur.

On trouve également beaucoup d'anémones, de spirographes et de gorgones ainsi que de nombreux poissons tels que vieilles, tacauds et congres.

Si les conditions météorologiques le permettent, ces plongées sont très intéressantes et offrent de multiples possibilités pour des plongeurs de tous niveaux.

La côte nord du pays basque

C'est une région sauvage et très belle avec de grandes plages, mais elle est exposée directement aux vents d'ouest. Souvent, des plongées relativement près du bord ne peuvent s'effectuer à cause de la houle du large.

Si la visibilité est normale, identique à celle d'autres endroits de l'Atlantique (10 à 15 m par beau temps), les alluvions charriées par l'Adour, petit fleuve de la région, peuvent cependant l'amoindrir par moments.

Dans de bonnes conditions, les belles plongées se déroulent sur des rochers recouverts d'algues courtes et brunes, dominant des fonds sablonneux où on rencontre beaucoup de grands poissons, comme les thons, maquereaux, bonites et daurades. Il y a également de nombreux crustacés et aussi des congres, rascasses et murènes, tout ce petit monde évoluant parmi les spirographes et les gorgones.

Par beau temps, ces plongées sont fort agréables, mais si le temps n'est pas de la partie, vous devrez vous tourner vers le surf ou visiter l'arrière-pays.

Le sud du Portugal (Algarve)

L'Algarve est composée d'une zone sablonneuse et d'une zone rocheuse. Comme les plongées alliant beauté du site et formes de vie différentes se déroulent toujours sur les endroits rocheux, les parages du cap Saint-Vincent sont fort intéressants, surtout la côte sud aux alentours de Sagres, mieux protégée des houles de l'ouest par le découpé du relief.

L'endroit, très sauvage, est constitué de grandes falaises. Par beau temps, la visibilité est bonne et les courants ne sont pas trop forts.

Un intérêt majeur du lieu est le mélange de spécimens de la faune et flore de l'Atlantique avec ceux de la Méditerranée, ce qui donne une plus grande densité de vie. La configuration rocheuse cahotique ajoute à tout cela un cachet de mystérieuse beauté.

Ces plongées s'adressent à des amateurs de tous niveaux mais utilisant un bateau ou sortant avec un club local car il est difficile et peu intéressant de plonger du bord.

Les mers de corail

Il est bien certain que le rêve de la plupart des plongeurs est d'évoluer dans une eau transparente et chaude procurant un spectacle enchanteur. Beaucoup d'entre nous pensent à la belle plage de sable de corail blanc, bordée de cocotiers en face du lagon bleu d'où ils pourraient partir explorer les récifs aux formes de vie multicolores.

Qu'ils se rassurent, grâce à nos moyens actuels de transport et à l'organisation des voyages modernes, ce rêve peut devenir réalité et cela sans trop délier les cordons de notre bourse.

Effectivement, pas mal de voyages-plongées vers la Mer Rouge, les Maldives, les Caraïbes et bien d'autres destinations encore, sont organisés aujourd'hui. Dans ces eaux transparentes (autant que celles d'aquariums bien entretenus) et «chaudes» (entre 24 et 25°C), on peut voir des formes de vie totalement différentes de celles que nous connaissons dans nos régions marines.

Les mers de corail se trouvent aux quatre coins du globe, n'en retenons que quelques-unes :
— Mer Rouge,
— Océan Indien (Iles Maldives,...),
— Caraïbes, Antilles,
— Côte est de l'Afrique (Kenya,...),
— Iles du Pacifique,
— et la «grande barrière de Corail» au large de l'Australie.

Les coraux et madrépores

Un des spectacles les plus grandioses est la vue des coraux ou madrépores, organismes solitaires ou vivant en colonie, constitués de parties molles appelées polypes. Ceux-ci secrètent un squelette calcaire.

C'est l'amoncellement de ces millions de polypes, dont les squelettes se soudent les uns aux autres, qui forme les madrépores. Accrochés entre eux, ils donnent naissance à des récifs, îlots et même à des atolls.

Leur survie est assurée par une eau extrêmement claire ne descendant jamais en-dessous de 20 °C et par une luminosité très forte. Il en existe plusieurs espèces, aux formes différentes.

La faune

Dans ce même environnement on trouve des dizaines de variétés de poissons aux couleurs chatoyantes.

● Tels sont les **poissons-papillons ou chaetodons** qui se nourrissent des polypes de coraux, de petits crustacés ou d'algues microscopiques. Ils vivent souvent en petits groupes ou en couples et comme des colibris, ils vont et viennent sans cesse en butinant le corail.

● Les **poissons-anges** se nourrissent, eux, d'éponges et d'algues et se rencontrent souvent sur les tombants du récif.

● On trouve aussi des petits poissons bleus, verts et rayés noir et blanc, qui sont des **demoiselles de mer,** de la même famille que les castagnoles de Méditerranée. Elles vivent au-dessus des coraux et, en cas de danger, plongent entre ceux-ci pour s'y cacher.

● Autre espèce digne de curiosité, les **poissons-clowns,** vivant, que dis-je, se prélassant dans leurs anémones. Ils sont de couleur rouge ou brune et rayés d'une, deux ou trois bandes blanches.

Ils vivent en symbiose avec leur anémone. Celle-ci les protège avec ses tentacules urticants qui interdisent l'approche d'autres poissons pouvant menacer la vie des clowns. Ces derniers, en échange, lorsqu'ils trouvent de la nourriture constituée d'un petit poisson, d'une cre-

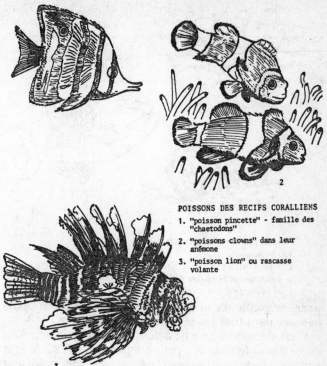

POISSONS DES RECIFS CORALLIENS

1. "poisson pincette" - famille des
   "chaetodons"

2. "poissons clowns" dans leur
   anémone

3. "poisson lion" ou rascasse
   volante

vette ou d'un morceau de coquillage, n'hésitent pas à en donner à l'anémone, mais après en avoir mangé eux-mêmes; charité bien ordonnée commence par soi-même!

● Un peu plus loin, nous rencontrerons un **poisson-lion** ou **scorpion** (le *ptérois*). De la famille des rascasses, il est d'ailleurs surnommé la «rascasse volante», tant ses nageoires sont développées. C'est un poisson spectaculaire et très majestueux mais sa nageoire dorsale peut infliger des piqûres venimeuses graves.

● Nous pourrons aussi apercevoir un poisson beige, le corps couvert de nombreuses épines mais qui se remarquent peu. Il s'agit du **diodon**. S'il est poursuivi, il prend

ANIMAUX DES RECIFS DE CORAIL
1. Poisson pierre
2. Poisson baliste
3. coquillage de la famille des cônes
   sa piqûre peut être mortelle

peur, se gonfle d'eau et devient rond comme une boule hérissée dans tous les sens de multiples piques.

C'est son mécanisme de défense qui a fonctionné. Afin de ne pas se faire avaler par plus gros que lui, s'il se sent menacé, il se gonfle pour décourager son prédateur éventuel.

● A découvrir encore, les **poissons-arbalétriers** ou **poissons-balistes** aux nageoires ondulantes. Ils se déplacent en groupe en émettant des petits grognements. Grâce à leur forte dentition et à leurs mâchoires puissantes, ils peuvent croquer facilement des oursins et des crabes.

● Admirons enfin les **poissons-perroquets** allant et venant et se nourrissant de morceaux de coraux.

Ebahis devant une telle féérie, nous pourrions parler encore longuement des découvertes à faire sur les récifs et dans les lagons, tant elles sont nombreuses.

Si on en a l'occasion, ce sont des voyages et des plongées à ne pas manquer. C'est le paradis même du plongeur et du photographe.

Les risques

Rappelons ici encore le premier conseil de prudence : il ne faut jamais toucher ce qu'on ne connaît pas et surtout pas à mains nues. Evitez aussi de marcher sur les poissons-pierres, méfiez-vous des murènes, des coquillages venimeux, du poisson-scorpion, du corail de feu et aussi des requins.

A ce sujet, on nous a montré beaucoup d'images fort négatives sur le **comportement des requins**. Mais il ne faut pas oublier que ce comportement était dû au fait qu'on les avait excités au maximum afin de mieux les étudier.

Cela ne signifie pas qu'il n'y a pas de dangers ni de requins mangeurs d'hommes. Mais je connais beaucoup d'amis plongeurs qui ont évolués dans les mers de corail et eux aussi ont des amis qui... et tout s'est bien passé.

Les requins sont plus dangereux pour les nageurs et les chasseurs se déplaçant l'accroche-poisson à la taille, bien rempli.

Comme nous venons de le voir, nous avons le choix entre plusieurs types de plongées, plusieurs décors, avec des exemplaires différents de faune et flore et de multiples possibilités de découvertes.

A tous et à toutes, bonne chance, mais quels que soient les endroits où nous ferons nos explorations, respectons toujours la mer et ses habitants.

La photo sous-marine

La photo sous-marine est un moyen idéal pour le plongeur amateur de garder des souvenirs visibles de ses explorations et de les partager avec les intimes et connaissances ne plongeant pas, mais intéressés par la beauté et les mystères des fonds marins. Il n'y a donc guère de différence entre la motivation qui pousse le photographe sub-aquatique et le chasseur d'images terrestres, si ce n'est l'élément différent dans lequel ils opèrent.

Un des points primordiaux pour réaliser de bonnes photos sous l'eau est la grande aisance dont doit témoigner le plongeur photographe dans ce milieu. Il doit être convenablement lesté pour ne pas être constamment en mouvement, à la recherche d'un équilibre, au moment de la prise de vue.

Il faut s'assurer une flottabilité légèrement négative, afin de rester le plus immobile possible. Dans cette recherche, le gilet de sécurité, ou bouée compensatrice (voir chapitre matériel : les gilets) est un complément idéal.

Une chose à ne pas oublier, est le temps qui passe

pendant que l'on photographie. Pris par la passion du sujet, il ne faut jamais y sacrifier les règles élémentaires de sécurité.

Technique

Pour photographier, comme pour plonger, nous allons être soumis aux lois du milieu aquatique (voir le chapitre consacré à ce sujet).

● **Les phénomènes** suivants sont à prendre en considération :

○ *la réflexion :* elle nous empêche de photographier lorsque le soleil est trop bas sur l'horizon ; les pertes de lumières étant alors trop importantes ;

○ *la réfraction :* l'angle que forment les rayons réfractés avec la verticale ne peut être trop important ;

○ *l'absorption :* lors de la traversée de la couche d'eau, les rayons lumineux sont transformés en chaleur. De ce fait, la qualité du spectre lumineux est diminuée et modifiée.

Les couleurs comme le rouge, l'orange, le jaune sont les premières absorbées. L'importance de l'absorption dépend de la profondeur.

Donc, au fur et à mesure de la descente, une modification importante de la couleur se manifeste. Vers 10 m le rouge disparaît et vers 15 m le jaune commence à verdir. Plus on continue à descendre, plus tout semble baigner dans le bleu-verdâtre (voir page 14).

○ *la diffusion :* lorsqu'ils frappent des suspensions dans l'eau, comme le plancton, des particules, etc., les rayons lumineux sont dispersés. Ceci amène une importante diminution de contraste de visibilité, les contours du sujet sont moins nets en prise de vue à grande distance et des petits détails disparaissent.

● D'autre part, comme l'œil du plongeur derrière son masque, la vision de l'objectif va être soumise aux **déformations** suivantes :

○ *la distance apparente* est égale aux 3/4 de la distance réelle ;

○ *l'image d'un sujet photographié* est 1/3 plus grande qu'elle ne le serait s'il était photographié hors de l'eau dans les mêmes conditions ;

○ *l'angle de champ des objectifs* est diminué d'à peu près 1/4.

Les normes de base pour la prise de vue

Afin d'éviter de tomber dans les pièges tendus par les différents phénomènes évoqués ci-dessus, on doit :
— se rapprocher au maximum du sujet à photographier,
— employer des objectifs grands angles,
— régler la mise au point sur la distance apparente du sujet.

● Dans le cas de la **photo-couleur**, pour éviter les problèmes de disparition des coloris, il faut opérer près de la surface ou employer l'éclairage artificiel.

Au point de vue films couleurs, ce sont ceux «lumière du jour» d'une sensibilité de 50 à 100 ASA qui sont les plus employés, l'ektachrome 64 étant très souvent choisi vu ses qualités.

Les films pour diapositives donnent les meilleurs résultats. Effectivement, lors de la projection de celles-ci la luminosité et la dimension de la diapo conviennent parfaitement à la mise en évidence des sujets saisis.

● La **vitesse d'obturation** choisie est au minimum le 1/125.

● Comme nous l'avons vu, le réglage de la **mise au point** s'effectue sur la distance apparente du sujet, celui du **diaphragme** en fonction de la distance réelle que parcourt la lumière.

Ce réglage se réalise à l'aide d'un posemètre, incorporé à l'appareil ou non, par l'intermédiaire d'un tableau ainsi qu'à l'aide de l'expérience personnelle.

Dans ce but, il est conseillé, si l'on veut réaliser du bon travail et ramener de bons souvenirs, de noter systématiquement dans les premiers temps l'heure, la profondeur, les conditions de plongée (clarté de l'eau), les données climatiques extérieures et le choix de la vitesse et de l'exposition ; ensuite, de prendre plusieurs photos avec un choix de vitesses semblables, mais avec des ouvertures de diaphragmes différentes et de les comparer.

● **Tableau de base des conditions de prise de vue** en Méditerranée par beau temps et eau claire entre 10 et 16 heures.

Vitesse : 1/125
Sensibilité du film : 50-64 ASA

Profondeur	Ouverture du diaphragme
1 m	f/8
5 m	f/5,6
10 m	f/4
20 m	f/2,8
30 m	f/2

Un détail technique très important pour la prise de vue est d'éviter de soulever de la vase ou des supensions lors de la mise au point. En cas de courant déplaçant des particules, on doit toujours former avec son sujet un angle perpendiculaire à la direction de ce courant.

ATTITUDE DE PRISE DE VUE

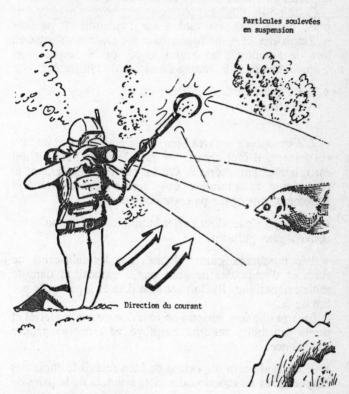

Particules soulevées
en suspension

Direction du courant

L'éclairage artificiel

Comme vu plus haut, les couleurs disparaissant peu à
peu avec la profondeur, on doit donc faire appel à une
source de lumière artificielle pour leur rendre chaleur et
éclat.

On va employer le flash, qui doit être bien positionné
sur l'appareil, car il éclaire également les particules en
suspension qui vont disperser la lumière. Pour éviter des

taches claires sur la photo, le flash doit faire avec l'axe appareil-sujet un angle de 25 à 40°; cette position apporte, en outre, plus de relief à l'image.

Cette position ne sert pas pour les photos prises de fort près, où le flash est monté sur l'appareil. Il ne doit toutefois pas être maintenu trop à l'avant de l'appareil lors de l'emploi d'un grand angle, car il risque alors d'apparaître dans le champ de vision de l'objectif.

● **Deux types de flash** existent :
— l'électronique,
— le magnésique.

○ *L'électronique* est très bien, mais pour en tirer un bon rendement, il faut choisir un modèle assez puissant qui est relativement onéreux. On lui reproche également le côté bleuté de sa lumière, qui s'ajoute à l'ambiance déjà fortement imprégnée de cette couleur.

○ *Le magnésique*, dont l'effet lumineux des ampoules est souvent plus puissant.

● Les nombreux **guides** donnés par les fabricants de flash et d'ampoules ne sont pas d'application dans le milieu aquatique. Ils doivent être divisés à peu près par 2,8 ou 3.

Encore une fois, chacun en fonction de son matériel et de la sensibilité du film employé va créer sa propre expérience.

● Il est également important de bien retenir le choix des **diaphragmes** en fonction des circonstances de la prise de vue.

Voici un tableau donnant des exemples d'ouvertures moyennes de diaphragme.

Vitesse : 1/30

Film : 50-64 ASA

Lampes de la série PF1 et semblables à celle-ci (on peut employer les ampoules bleues jusque 80 cm de distance apparente).

Distance apparente	Distance réelle	Diaphragme
0,60 m	0,80 m	f/11-16
0,80 m	1,00 m	f/11
1,00 m	1,40 m	f/8
1,50 m	2,00 m	f/5,6
2,00 m	2,50 - 3 m	f/4

La photographie de près et la macrophoto

Photographiées de très près, la flore et la faune donnent des images étonnantes, souvent fort recherchées par l'amateur. Elle s'effectue à l'aide d'objectifs spéciaux, de lentilles d'approche ou d'un dispositif mécanique, comme les tubes-allonge.

L'emploi de la lumière artificielle est quasi indispensable.

Choix de l'appareil

Nanti de ces connaissances techniques, nous devons faire maintenant le choix de l'appareil. Trois possibilités s'offrent à nous :
1 - la boîte étanche souple,
2 - le boîtier rigide,
3 - l'appareil étanche.

La boîte étanche souple

On peut enfermer l'appareil dans une boîte en p.v.c.

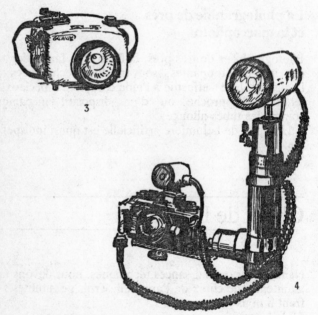

MATERIEL PHOTO

1. Appareil réflex 24 x 36 mm, avec flash
   dans une boîte étanche souple Ewa-Marine

2. Aquamatic Spiro avec lampe flash cube

3. Boitier étanche Galaxie en aluminium pour appareil
   réflex 24 x 36 mm

4. Nikonos IV-A automatique + flash électronique Nikonos SB-101

souple et transparente qui se ferme par rail profilé à vis de serrage. Cette boîte est munie d'un hublot, pour l'objectif et l'oculaire, et par l'intermédiaire d'un gant incorporé on peut effectuer les différents réglages.

De nombreux modèles existent pour différents types de réflex avec ou sans flash. Ils permettent des prises de vues jusqu'à 10 m et sont fabriqués par Ewa-Marine.

Les boîtiers étanches rigides

Constitués de plastique ou de métal, ils permettent d'abriter comme dans le cas précédent de nombreux types d'appareils à visée réflex de format 24 × 36 ou 6 × 6.

Ils sont équipés pour recevoir un flash et la prise de vue peut s'effectuer à des profondeurs allant jusqu'à 75 voire 100 mètres.

Ces types de boîtiers sont en général assez coûteux et s'appliquent à des appareils de très grande qualité offrant beaucoup de possibilités quant aux objectifs, surtout ceux de type Macro.

Le boîtier «Galaxie» de chez Imasub peut renfermer tous les modèles de réflex 24 × 36 et est spécialement équipé pour le montage du flash du Nikonos.

L'appareil étanche

Il en existe plusieurs marques, allant du petit «aquamatic» de la spirotechnique jusqu'au Nikonos IV de chez Nikon en passant par le Fujica HD-S.

Le choix d'un appareil étanche semble être une solution rationnelle, car elle allie étanchéité et technique adaptée directement pour le milieu aquatique.

Le nouveau Nikonos IV-A est extrêmement pratique grâce au contrôle automatique de l'exposition. De ce fait, plus d'exposition incorrecte. Il suffit d'afficher une ouverture sur l'objectif et l'appareil règle automatiquement la vitesse d'obturation pour une image parfaite. Il

est équipé d'un viseur à repères de correction de para-
laxe.

Lors de la prise de vue avec des appareils qui ne sont
pas du type réflex où le sujet est saisi à travers l'objectif,
un décalage peut exister entre l'image fournie par le
viseur et celle donnée par l'objectif. Cela peut amener
pas mal de surprises, lors de photos prises à petites
distances, comme des sujets décapités notamment.

Le cinéma sous-marin

Il a tendance à se développer assez fort, actuellement. Il
est soumis plus ou moins aux mêmes conditions que la
photo.

Il existe également soit la solution du boîtier étanche
soit de la caméra de construction étanche, comme le
modèle «Nautica» de la firme Eumig.

Un des gros problèmes du cinéma subaquatique est la
nécessité de forte intensité d'éclairage en continu pendant la prise de vue. On trouve comme pour les lampes
classiques de plongée des projecteurs munis de batteries
cadnium-nickel avec ampoule halogène d'une puissance
ici de 100 à 300 W en 12 ou 24 V. Malheureusement leur
autonomie et leur portée sont assez réduites. Rien de
comparable avec l'éclairage des films du Commandant
Cousteau.

Comme pour le matériel de plongée, celui de la photo ou
du cinéma doit être bien entretenu et rincé régulièrement
après son emploi.

Renseignements pratiques

Secours et stations de gonflage

France

Fédération française d'études et de sports sous-marins (F.F.E.S.S.M.)
— Siège social : 24, Quai de Rive-Neuve, 13007 Marseille, tél. : (91) 33 99 31.
— Délégation parisienne : 34, rue du Colisée, 75008 Paris, tél. : (1) 359 22 15.

Chambres de recompression

Alpes maritimes

NICE — Hôpital Pasteur, Pavillon DX, tél. 853134, poste 404 ou 365, 1 monoplace et 1 multiplace.
— médecin spécialiste : Centre hospitalier de Nice, Hôpital Pasteur
— hélicoptère : Aérodrome Nice Côte d'Azur, tél. 831488 Aéroport 861131 et demander à la base.

Basses-Pyrénées

PAU — Hélicoptère : Aérodrome de Pau, tél. 274402.

Bouches-du-Rhône

MARSEILLE — Hôpital Salvator, 249 Boulevard de Ste Marguerite, tél. 413480 et 750595, 3 multiplaces, monoplace de transport.
— Caisson de transport monoplace des Marins Pompiers - Marseille, tél. 18.
— Médecin spécialiste : Hôpital Salvator, tél. 750595.
— Hélicoptère : Protection Civile à Marseille, tél. 540840. Aéroport de Marignane : tél. 890366

Calvados

CAEN — Médecin spécialiste : 13, rue du Marescot.

Charente-Maritime

LA ROCHELLE — Hélicoptère : Aérodrome Laleu, La Rochelle, tél. 340350

Corse

AJACCIO — Hôpital Militaire.
AJACCIO — C.I.N.C. Aspretto, tél. 1667.

Côtes du Nord

ST-BRIEUC — Sapeurs Pompiers Saint-Brieuc, Lieutenant Pierre Rouvrais.

Finistère(Bretagne)

BREST — Marine Nationale, Chambre de recompression de la Direction du Port, Terre Plain du Château, tél. 801200 — 1 multiplace.
— Médecin spécialiste : 24 rue de Denvers, tél. 446273.
QUIMPER — Hélicoptère : Base de Pluguffan, tél. 955424.

Gironde

BORDEAUX — Sapeurs Pompiers, Bordeaux, 56 rue d'Ornano.
— Hélicoptère : Base de Bordeaux-Mérignac, tél. 470453, 294068 et 448447

Hérault

MONTPELLIER — Clinique St. Eloi, Département d'Anesthésie-réanimation, tél. 722491 et 720000, 1 multiplace avec sas, 1 monoplace. Clinique St. Eloi, tél. 722491, poste 526.

Isère

GRENOBLE-LA-TRONCHE — Centre Hospitalier régional de Grenoble, ancien pavillon d'urgence, tél. 445370 et 449525 — 1 multiplace, 1 monoplace.
— Soins médicaux : Centre hospitalier régional de Grenoble à la Tronche.
— Hélicoptère : Grenoble, aérodrome de Versoud (Domaine), tél. 892379 et 892369.

Manche

CHERBOURG — Direction du port, Cherbourg, tél. Marine 2502.
— Marins Pompiers de Cherbourg, tél. 2165.
— Hélicoptère : Grandville-Aéroport de Donville-les-Bains, tél. 500772.

Morbihan

LORIENT — Base de sous-marins, tél. 92420. Marine Nationale, tél. 641401, poste 91271.
— Centre principal de secours, tél. 642092.
— Hélicoptère : Lorient, Base de Lann-Bihoue, tél. 211956.

Meurthe-et-Moselle

NANCY — Centre Hospitalier régional de Nancy, rue de Lattre de Tassigny, tél. 246989, poste 494, 1 multiplace avec sas, 1 monoplace avec sas.
VANDŒUVRE — C.H.U. de Brabois, 1 multiplace avec sas, tél. 532466.
— Médecin spécialiste, Pr. Larcan, Centre hospitalier régional de Nancy, tél. 246989, poste 494.

Nord

LILLE — Centre de réanimation respiratoire et centre médical, Hôpital A. Calmette, tél. 519280, poste 3058, 1 monoplace fixe.

Puy-de-Dôme

CLERMONT-FERRAND — Hélicoptère : Aérodrome Aulnat, tél. 915579.

Basses-Pyrénées

PAU — Hélicoptère : Aérodrome de Pau, tél. 274402

Pyrénées-Orientales

COLLIOURE — C.I.P. de Collioure, tél. (69) 380345, 1 caisson CR 1 spirotechnique.
PERPIGNAN — Sapeurs Pompiers, tél. (69) 348811, 1 caisson CR 1 sur fourgon de transport.
— Soins médicaux : Dr . Etienne Joué, avenue de la Gare, Collioure, tél. (69) 380349.
— Hélicoptère : Perpignan — Aéroport de Llabanère, tél. 502250, poste 402.

Bas-Rhin

STRASBOURG — Hélicoptère : Aérodrome d'Enthzheim, tél. 988217.
— Protection civile par la Préfecture, tél. 369450, poste 59.

Rhône

LYON — Hôpital Edouard Herriot, place d'Arsonval, tél. 847411, poste 462, 256, 448 ; 1 multiplace, 1 monoplace, 1 sas.
— Hôpital neurologique, 59 Boulevard Pinel, tél. 844541, poste 3004 et 3419, 1 monoplace fixe avec sas.
— Centre Médical : Hôpital Edouard Herriot, Lyon, tél. 847411, poste 462 etc.
— Hôpital neurologique, tél. 844541, poste 3004 etc.

Haute-Savoie

ANNECY — Hélicoptère : Aérodrome de Meythet, tél. 461178.
— Protection Civile par la Préfecture, tél. 455231, poste 3009.

Seine

PARIS — Centre de Traumatologie, 9 à 21, Sente des Dorées, 75019 Paris, tél. 9060379, 1 multiplace avec sas.
CRETEIL — Hôpital Henri Mondor, 94000 Creteil, tél. 2075141, poste 4004, 4007, 1 monoplace.
— Centre médical : centre de traumatologie.
— Hélicoptère : Paris, Base d'Issy-Les-Moulineaux, tél. de jour 644247 et de nuit 2662830, poste 36.

Seine Maritime

LE HAVRE — Port autonome du Havre, tél. 425140.

Var

BANDOL — C.I.P. de Bendor, tél. 244233.
ST-MANDRIER — Ecole de Plongée de la Marine Natio-

nale, tél. 412040, poste 31374 et 31545.

TOULON — Hôpital des Armées, Sainte-Anne, service de réanimation, tél. 928620, poste 30276, 1 multiplace, 1 monoplace et 1 sas.

— Centre Hyperbare, Close Borrely, rue A. Borrely, Sainte-Anne, tél. 929820, 1 multiplace avec sas.

— Toulon Naval : GERS, tél. 414020, poste 20041.

— Médecin Spécialiste : Hôpital des Armées, Sainte-Anne, 83100 Toulon, tél. 928620, poste 30276.

Hauts-de-Seine

GARCHES — Hôpital R. Poincaré, clinique de réanimation, tél. 9703972, 1 monoplace.

Haute-Garonne

TOULOUSE — C.H.U. Purpan, Service caisson hyperbare, Dr. Barthélemy.

Stations de gonflage

Alpes Maritimes

ANTIBES — l'exploration Sous-Marine, Lehoux.

BAULIEU — Lacosta Bernard, Nouveau Port.

CANNES — Etablissement Broussard, 10 Place du Commandant Lamy.

CANNES — Chantier Naval Voising, 21 quai Saint-Pierre.

JUAN-LES-PINS — Club de la Mer, Port Gallice.

JUAN-LES-PINS — Le Spondyle, 11 avenue de l'Estérel.

MENTON — Ecole de Plongée, Port de Menton Caravan.

MONACO — Yacht Club.

NICE — Exploration Sous-Marine, 14 quai des Docks.

NICE — La plongée, 20, rue Cassini.

Aude

LEUCATE BARCARES — Centre de Plongée de Leucate.

NARBONNE — Tousports, rue du 1er Mai.

Bouches-du-Rhône

AIX-EN-PROVENCE — Sotramar, 16 cours de la Trinité.
CASSIS — Au Vieux Plongeur.
LA CIOTAT — G.P.E.S. — Sur le Port.
LA CIOTAT — Sports Nautiques, 8 boulevard Anatole France.
LA CIOTAT — Nautic Service, 13 boulevard Beaurivage.
LE ROVE — Centre U.C.P.A., Ecole de Plongée de Niolon.
MARSEILLE — Sporamic, 31 rue Vincent Scotto.
MARSEILLE — Precontinent, 104 quai du Port.
MARSEILLE — Exploration Sous-Marine, Rue Louis Astoin.
MARSEILLE — Au Perroquet Bleu, 57 rue Jean Cristofol.
MARSEILLE — Oberle Sports, 38 boulevard Françoise Duparc.
MARSEILLE — Les Amis de la Méditerranée, 51 rue Gillébert.
MARSEILLE — Au Vieux Plongeur, 116 cours Lieutaud.
MARSEILLE — Pierre Vogel, 91 cours Lieutaud, 13006 Marseille, tél. (91) 486961.
MARSEILLE — La plongée, 20 quai de Rive-Neuve.
MARSEILLE — Station de Gonflage du Littoral, Place Clément Lévy.
PORT-DE-BOUC, Le Phoque, 6 rue Gambetta.

Calvados

BAYEUX — Etablissements Schmidt, 46 rue du Docteur Michel.
CAEN — Garage Boulot, Cité Jardin.
CAEN — La Hutte, Z.I. de Carpiquet.

Charente-Maritime

LA ROCHELLE — Comptoir Maritime Rochelais, quai du Gabut.

Corse

ARGENTELLA F20260 — Helmut Henne, Camping Morsetta, (1.4 - 15.10)

AJACCIO — Corse Voile, Tahiti Plage.

AJACCIO — Jean Charles Martha, Résidence Castel-Vecchio, tél. : (95) 212600.

AJACCIO — Marina Corse, quai de la Citadelle.

AJACCIO — Sur le port, Rue de Napoleon.

AJACCIO 20000-Porticcio — René Eydieux, Résidence Marina-Viva.

BASTIA — Bastia-Sports, 2 boulevard Paoli.

BASTIA — Nauticorse, 31 avenue E. Sari.

BASTIA — Select Auto-Marine, 7 place d'Armes.

BONIFACIO — Magasin de plongée au centre.

BONIFACIO — Relais de l'Ariguina Station Total.

BONIFACIO — Dewez C.N. Port.

CALVI Calvi-Bateaux, quai Landry.

CALVI — Magasin Nautique sur le Port.

CANARI — Club Mare Nostrum.

GHISONNACIA — Delarue-Tanguy.

ILE ROUSSE — Balagne Sports, rue Napoléon.

ILE ROUSSE — Magasin à l'entrée de ville.

ILE ROUSSE — Poseidon Nemrod, Hans Berz Hotel Splendid.

LA CHIAPPA — Barakuda Robinson club, Norbert Böhm.

PORTICCIO — Perillier «Navystore Loisirs» (par Ajaccio, voir ci-dessus.)

PORTO-VECCHIO — Sport-Marine, Sur le Port.

PORTO-VECCHIO — Raffin Marine.

PORTO-VECCHIO — Centre d'Etudes et de Recherches de la Corse Sud, M. de Rocca Serra.

PROPRIANO — La Plongée, Monsieur Gutknecht.

PROPRIANO — Magasin sur le port, la rue la plus importante.

PROPRIANO — Chantiers Navals de Propriano.

PROPRIANO — Etablissements Serra, 15 avenue Napoléon.

CARGESE — Magasin de plongée, rue principale.

Côte d'Or

DIJON — Jeunet Nautisme, 57 rue du Transvaal.

Côtes du Nord

PAIMPOL — Le Bonniec, 3 rue du 18 juin.
PAIMPOL — Le Lionnais, quai de Kernoa.
PERROS-GUIREC — Plongée-Sports-Camping, 1 Boulevard Aristide Briand.
SAINT-BRIEUC — Hains, 24 rue de Gouëdic.
SAINT-CAST — La Maison Blanche, rue de la Mer.

Drôme

MONTÉLIMAR — Maroux Sports, 116 rue Julien.
BOURG-LES-VALENCE — Nautique Valence, Route Nationale 7.

Eure-et Loir

AMILLY-CHARTRES — Supermarché-des-loisirs, Route Nationale 7.

Nord-Finistère

BREST — La Hutte, 97 rue Jean-Jaurès.
BREST — Siam Sports, 52 rue de Siam.
MORLAIX — Etablissements Paugam, 15 Grande Rue.
SAINT-POL-DE-LÉON — Robert Sports, 5 rue Verderel.

Sud-Finistère

AUDIERNE — Pêche, Monsieur Jo Evenat, 9 rue Victor Hugo.
CONCARNEAU — Crolleau, Place de l'Hôtel de Ville.
CONCARNEAU — Voilerie Morvan, quai Est.
QUIMPER — Quimper Sports, 7 rue René Madec.

Gard

ALÈS — Pneumatic Etablissements Nogier, 29 faubourg d'Auvergne.

NÎMES — Nautica, 17 bis avenue Carnot. Port Camargue — Nautica, sur le port.

Haute-Garonne

TOULOUSE — Duffour et Igon, rue de l'Oasis.
TOULOUSE — Igloo Sports, Place Victor Hugo.

Gironde

ARCACHON — Neptune Sports, Monsieur Michel Henri, 109 cours Lamarque.
ANDERNOS — Omnisports, Monsieur Faux, 1 boulevard de la Plage.
BORDEAUX — Hussenet et Laurent, 38 cours Georges Clémenceau.
BORDEAUX — Sporting, 20 rue Rolland.

Hérault

AGDE — Groupe de Recherche Archéologique et de Plongée d'Agde.
BÉZIERS — Plongée Technic, Monsieur Jacques Chabbert, 45 avenue Albert 1er
CARNON PORT — La Dorade, Monsieur Daynac.
CARNON PORT — La Civadèire.
MONTPELLIER — Igloo Sports, Boulevard Sarrail.
SÈTE — Duffour et Igon, 95 route de Montpellier.
CETTALEAU — 13 quai Louis Pasteur.
LA GRANDE MOTTE — Nautica, Sur le port.

Ille-et-Vilaine

CANCALE — Au Confort Moderne, 6 rue du Général Leclerc.
RENNES — Auto Omnia Rennais, 36 quai Saint-Cyr.
SAINT-MALO — Tourisme et Confort, 2 rue de la Grande Hermine.

Isère

GRENOBLE — Nautique Albert 1er, 14 avenue Albert 1er Belgique.

EYBENS — Burggraf-Nautique, Route Napoléon.

Jura

PONT-DEPOITTE (près LONS-LE-SAUNIER), Nautisme, Monsieur A. Devaux.

Loire-Atlantique

LA BAULE — S.A.P.A.L. Marine, 253 avenue de Lattre.
LE POULIGUEN — L'Ancre Marine, Port Sterwitz.
NANTES — Michel lognon, 3 rue de la Barillerie.
NANTES — Union Nautique Atlantique, 10 boulevard des Anglais.
NANTES — Omnisports, 22 rue de la Fosse.
NANTES — L'Ancre Marine, 7 bis quai Henri Barbusse.
SAINT-NAZAIRE — Week-End, 41 rue du Général de Gaulle.

Maine-et-Loire

ANGERS — Siba Nautique, Chemin de Grand Montre-jean.

Manche

CHERBOURG — La Hutte Mace, 4 rue du Château.
DONVILLE-LES-BAINS — Nautic Loisirs, Monsieur Lecoulant, Plage.

Marne

REIMS — Club des Hommes Grenouilles de Champagne, 20 rue Cérès.

Mayenne

LAVAL — Pillon-Courdon, Route de Rennes à Saint-Berthevin.

Meurthe-et-Moselle

MALZEVILLE — Société Lorraine de Protection, 61, rue du Colonel Dréant.

NANCY — Azur-Sports, 147, rue Saint-Dizier.

Morbihan

LORIENT — Sports et Nautisme, 28 boulevard Svob.
QUIBERON — Marine Bretagne, 30 rue du Port de Pêche.
SARZEAU — Etablissements Burgeot, Rue du Général de Gaulle.

Moselle

LONGEVILLE-LES-METZ — Station Motonautique de la Moselle, 52 rue du Général de Gaulle.

Nord

DUNKERQUE — Securflam, 7 rue du Jeu de Mail.
LILLE — Chantiers Navals du Nord, Etablissements Malfait, 17 boulevard Carnot.

Oise

CRÉPY-EN-VALOIS — La Spirotechnique, rue Henri Laroche.

Pas-de-Calais

BOULOGNE-SUR-MER — Hall Nautique de la Côte d'Opale, 5 rue Saint Vincent de Paul.

Puy-de-Dôme

CLERMONT-FERRAND — Lapeyre Sports, 4 rue Maurice Busset.
CLERMONT-FERRAND — La Hutte, 16 rue Ballainvilliers.

Basses-Pyrénées

BAYONNE — Duffour et Igon, Nouvelle Route de Pau.
SOCOA-CIBOURE — Club Pay-Océan, Sur la Jetée.
HENDAYE VILLE — Iraola Sports, 53 rue du Commerce.

Pyrénées-Orientales

BANYULS — Sports Ménagers, Rue Saint-Pierre.
BANYULS — Laboratoire Arago.
BARCARÈS — Centre Méditerranée du Nautisme.
COLLIOURE — Girodeau, 45 rue de l'Egalité.
PERPIGNAN — Olympic Sports, 34 bis, avenue du Général de Gaulle.
PERPIGNAN — Omnisports, 98 avenue du Maréchal Joffre.
PORT-VENDRES — Port-Vendres Marine, quai de la Douane.
SAINT-CYPRIEN — Cassan Bateaux, Sur le Port.

Bas-Rhin

SRASBOURG — Weyrich Sports, 77 rue des Grandes Arcades.

Haut-Rhin

MULHOUSE — Erhart, 19 rue des Maréchaux

Rhône

LYON — 69004 — Subasport, 16 rue Pailleron, Tel. (78) 28 73 40.
LYON — Palais des Sports, 18 rue du Président Herriot.
LYON — Vacances Sports, 71 avenue Berthelot.

Haute-Savoie

ANNECY — Baudrion Sports, 1 rue Président Favre.
THONON-LES-BAINS — Arpin Sports, 1 place Jean Mercier.

Paris

PARIS 5e — Foucher-Creteau, 1 quai de la Tournelle.
PARIS 5e — Scuba Monge, 52 rue de la Clef.
PARIS 8e — Centrale Sous-Marine, 37 rue Pasquier.
PARIS 9e — Pezé, 8 rue Lallier.

PARIS 10e — Les Hommes Grenouilles de Paris, 212 rue Saint-Maur.

Seine-Maritime

DIEPPE — Motonautisem Guillard, 24 rue de la Morinière.
LE HAVRE — Etablissements Aufray, Porte Océane Nord.
LE HAVRE — Tanguy Marine, 19 rue Georges Braque, et 14-16 rue des Briquetiers.
ROUEN — Villetard, Chantier Naval, Ile Lacroix, rue de l'Industrie.

Seine-et-Marne

LA HUTTE-CHELLES — Griselle.

Var

AGAY — Carnevillier, Station Shell du Dramont.
ANTHEOR — Zoi, Sous le Pont.
ANTIBES 06600 — Port Vauban-Antibes, René Eymauzy et Pierre Chaffiot, 'Le Passeur du Printemps', tél. : (93) 31 06 40.
BANDOL — C.I.P., Ile de Bendor.
CAVALAIRE — Hall Nautique, Avenue du Port.
HYÈRES — Yacht-Club, Sur le Port.
LA CROIX VALMER — Marine Plaisance, boulevard de Girago.
LA SEYNE — La Hutte, 3 rue A. Lagane.
LE BRUSC — C.E.S., Ile des Embiez.
LE BRUSC — G.B.M., Sur le Port.
LE DRAMONT — Guazetti.
LES ISSEMBRES — Barakuda club, Monsieur Huin.
LE LAVANDOU — C.I.P. Lavandou, Sur le Port.
LE RAYOL CANADEL — Société Porcu Sauveur, Place de l'Eglise.
SANARY — G.B.M., Sports et Loisirs.
SANARY — Le Petit Tube, rue de la Prud'homme.
SAINT-MANDRIER — C.A.M.S., 37 quai Jean Jaurès.

SAINT-RAPHAËL — Au Piadon, 112 Avenue Commandant Guilbaud.
SAINT-RAPHAËL — La Plongée, 29 place Galliéni.
SAINT-RAPHAËL 83700 — Port Saint-Raphaël Claude Lucquin, 'Le Renard d'Eau', tél. : (94) 95 34 30.
SAINT-TROPEZ — Josy-Sports, 20 rue François Sibilli.
SAINT-TROPEZ — La girelle, 2 boulevard Louis-Blanc.
SAINTE-MAXIME — Vacances Sports, 2 boulevard Jean-Jaurès.
SAN PEIRE LES ISSEMBRES — Sport Nautisme, Route Nationale 98.
TAMARIS — Ecole de Plongée des Sablettes Saint Elme.
TAMARIS — Base Ecole Jules Corman, rue Verlaque.
TOULON — G.B.M. 83, avenue de la République.
TOULON — La Pérouse, 119 quai de Stalingrad.
TOULON — T.C.F., Sur le Port.

Vaucluse

AVIGNON — C.S.A.-Club Sub-Aquatique Avignonnais, 75 boulevard Saint Ruf.

Vendée

ILE DE NOIRMOUTIER — Noirmoutier Marine Port de l'Herbaudière.
ILE DE NOIRMOUTIER — Tout pour la pêche.

Territoire de Belfort

BELFORT — Besch-Sports, 1 boulevard Joffre.

Hauts-de-Seine

ASNIÈRES — Sport 63, 62 Grand Rue.
BOULOGNE — Robby Sports, 92 avenue Edouard Vaillant.
BOULOGNE — Mazura-Marine, face 36 quai le Gallot.
NEUILLY — Hall Méditerranée, 55 à 63 boulevard Vital Bouhot, Ile de la Jatte.

Seine-Saint-Denis

SAINT-OUEN — Michel-Marine, 8 rue Lécuyer.

Val-de-Marne

CHARENTON — Escapade, 22 Avenue Jean-Jaurès.
THIAIS — Sport Sud, Centre Commercial Belle Epine.
LA VARENNE-SAINT-HILAIRE — Sports et Voyages, 70
avenue du Bac.

Belgique

**Fédération Belge de Recherches et d'activités sous-
marines (F.E.B.R.A.S.).**
Secrétariat : Mme Balsaux Suzette, Avenue Jules Colle 5,
1410 Waterloo, tél. : (02) 523 01 17.

Chambres de recompression

● **Caissons monoplaces**

BRUXELLES — Hôpital Universitaire Saint Pierre, tél. :
(02) 538 77 80 ou 538 00 00, ext. 1308-1309.
BRUXELLES — Hôpital d'Anderlecht (Institut Médico-
Chirurgical), Service de réanimation, tél. :
(02) 523 80 90.
GENT — Academisch Ziekenhuis, tél. : (091) 22 57 41
LEUVEN — Universitaire St. Pietersklinieken, tél. :
(016) 22 04 43.
LEUVEN — Academisch Ziekenhuis St. Rafaël, tél. :
(016) 23 79 21
LIÈGE — Hôpital de Bavière — tél. : (041) 42 61 91,
43 41 01, 42 61 98.

● **Caisson multiplace**

Centre de traitement de la force navale — contacter l'officier de Permanence, Caserne Bootsman Johnson (anc. Général Mailleux), tél. : (059) 80 14 02, Ext. 333.

Stations de gonflage

ANTWERPEN — Aqua Diver Shop, Coquilhatstraat, 18.
ANTWERPEN-DEURNE — Aquasport, Terheydelaan, 5.
ANTWERPEN-DEURNE — Sportduiker, Van den Hautelei, 8.
BRUXELLES — Aquanaute, Ave. Seghers 86, 1080 Bruxelles.
BRUXELLES — Diving Surfing Marine, 47-53 Rue G. Raeymaekers, 1030 Bruxelles.
BRUXELLES — La Maison de la Mer, Passage 44, 1000 Bruxelles.
BRUXELLES — Marsouin, rue Dillens 20, 1050 Bruxelles.
BRUXELLES — Nautilus, Avenue Ducpétiaux 3, 1060 Bruxelles.
BRUXELLES — Sea Shop, René De Prins, Rue de Dublin, 1050 Bruxelles.
BRUXELLES — Oxhydrique Internationale, rue Pierre van Humbeek, 31.
CHÂTELINEAU — A l'Etoile Rouge, rue Gendebien 239.
DINANT — Pigneur Pierre, La Pommeraie 12.
GENT — Watersportcentrale, Grotestraat, 58.
GENT — Flipper, Zwijnaardse steenweg 159.
GENVAL — Scuba Shop, rue de la Station 33.
HASSELT — Onderwatersport, Koningin Astridlaan 43.
KORTRIJK — De Cabooter, Veemarkt 2.
LEUVEN — All Sport, Tiensestraat 182.
LIÈGE — Ocean, Place des Déportés 168.
LIÈGE — Subaquasport, rue de la Casquette 38.
MECHELEN — Duiksportcentrum, Wollemarkt 6.
OTTIGNIES — Jorisport, rue des Deux Ponts 8.
ROCHEFORT — Vermeren, Place Albert Ier, 13.

TOURNAI — Aquatic, quai Notre Dame 18.
VERVIERS — Flora-Fauna, Crapaurue 109.
VILVOORDE — Aquaria Color, Nolet de Brauwerestraat 3.
Une grande partie des clubs belges de plongée sous-marine,
et dans un grand nombre de villes belges :
— Air liquide,
— Oxhydrique internationale.

Espagne

Federacion Espanola de Actividades Subacuaticas (F.E.D.A.S.) Santalo 15, 3° 1A — Barcelona 21, tél. : 34-3/228 87 96

Documents nécessaires pour obtenir une autorisation de plongée (deux photocopies) :
— page du carnet de plongée avec photo et signature,
— page du carnet de plongée avec autorisation médicale,
— page du carnet de plongée avec brevets,
— page du passeport avec détails personnels,
— deux photographies avec nom au verso.

Chambres de recompression

BARCELONA — Camara de Recompresion, Hospital Cruz Roja Espanola, calle Dos de Mayo 301, tél. : 235 93 00 - 253 53 53.
SAN FELIU DE GUIXOLS — Varadero (Puerto), Prov. Gerona.
SAN SEBASTIAN — Federacion Guipuzcoana Actividades Subacuaticas, Prim 28 entio 10, tél. : 42 96 13 ou 42 00 29.

MALAGA (Torremolinos) — Centro de Investigacion Submarina, Plaza Andalucia 1, Apartado 52, tél. : 38 15 17.
MAHON (Menorca) — Club Maritimo de Mahon, Paseo Maritimo s/n.

● **Uniquement en été**

CADAQUES — Club Méditerranée.
TOSSA DE MAR — Escuela de Inmersion, Camping Pola.

● **Chambres de recompression militaires ouvertes aux civils**

CARTAGENA (Murcia) — Centro de Instruccion de Buceo (Algamecas)
FERROL DEL CAUDILLO (La Coruna) — Arsenal Militar
SAN FERNANDO (Cadiz) — Arsenal Militar de la Carraca
SOLLER (Baléares-Mallorca) — Escuela de Armas Submarinas.

Stations de gonflage

Alicante

ALICANTE — Autogena Martinez, S.A. Carretera de Ocana.
ALTEA — Centro de Investigaciones y Actividades Subacuaticas CIAS de Madrid — Casa del Pescador.
BENIDORM — Club Poseidon Nemrod, Prov. Alicante, Apartado 315.
JAVEA — Club Nautico, en août.

Almeria

ALMERIA — C.E.I.S. Paseo del Generalisimo 118.
ALMERIA — Oxhidrica Malaguena,S.A. General Saliquet 12.
GARRUCHA — Hogar del Frente de Juventudes.

Asturies

GIJON — Sociedad Espanola de Oxigeno, La Calzada.

Barcelone

BARCELONA — Abello Oxigeno Linde, S.A., Bailen 105.

BARCELONA — Acqua Club, Jaime Roig 17.

BARCELONA — Centro de Recuperaciones e Investigaciones Submarinas CRIS, Conde del Asalto 126.

BARCELONA — Sociedad Espanola de Carburos Metalicos S.A., Puigcerda 136.

BARCELONA — Nemrod Metzeler S.A., Sagrera 44-58.

BARCELONA — Sociedad General de Oxigeno, Diputacion 239.

MASNOU — Moto-Auto, Antonio Hurtado, Carretera General, Cruze Alella.

MATARO — Sdad. de Pesca y actividades Subacuaticos, Real 468.

SABADELL — Unisub, Bosch y Cardellach 112.

VILLANUEVA Y GELTRU — Centro Recreativo de Actividades Subacuaticos Oaseo Fernandez Ladreda 68.

Cadix

PUERTO DE SANTA MARIA — Club Guadalete de Actividades Subacuaticas, Pedro Munoz Seca 6.

ROTA — Club Union Rotena de Tecnica Acuatica, 18de Julio 14.

Castellon

MULES — Seccion de Actividades Subacuaticas de la Sociedad Cultural Deportiva y Recreativa San José, Mayor 4.

La Coruña

LA CORUNA — Seccion de Buceo de la 641 Comandancia de la Guardia Civil.

LA CORUNA — Sociedad Espanola de Carburos Metalicos S.A., Alto de Eiris.

Gerona

BLANES — Astilleros Esteveta, Final muelle comercial.
BLANES — L'Ancora, Paseo de la Mar, 115
BLANES — LO.RA.FE., P. Maestranza 2.
CADAQUES — Higinio Llach, Garage.
CADAQUES — Club Méditerranée.
CADAQUES — Club Poseidon Nemrod, Carpe Diem Club, Costa Brava.
CALELLA DE PALAFRUGUEL Club Poseidon Nemrod, Hotel Gelpi.
ESTARTIT — Novedades Burgues-Tienda, Santa Ana 43.
ESTARTIT — Tony Murray, Apartamentos Pou Nou 3.
ESTARTIT — Bar Tortuga, Carretera de Torruella.
ESTARTIT — Club Poseidon Nemrod, Apartamentos Cataluna.
ESTARTIT — J.M. Blandy, Camping La Sirena.
GERONA — Sociedad Espanola de Carburos Metalicos, Carretera de Gerona.
LLANSA — Garage Garrida, Avda. de Europa 1 (frente Estacion Ferrocarril).
LLANSA — Jose Mallol., Puerto Llansa, Granja.
LLORET DE MAR — Motonautica la Marina Paseo de la Caleta.
PALAMOS — Compresor CRIS (Cantera).
PALAMOS — Estacion del CRIS, Club Nautico Costa Brava (Cantera).
PUERTO DE LA SELVA — Motonautica Hidalgo, Muelle Embarcadero.
PUERTO DE LA SELVA — Talleres Pascual Muelle Embarcadero.
ROSAS — Club Poseidon Nemrod, Costa Brava, Sta. Margaritha.
ROSAS — Unisub, Astilleros s/n.
ROSAS — Hermanos Reda, Carretera del Faro.
ROSAS — Centre de plongée (M. Schaad) Nautica Rosas, Rte de Figueras, Sta. Margaritha, tél. : 25 62 77.
SAN FELIU DE GUIXOLS — Centro de Actividades Subacuaticas Neptuno, Urbanizacion M. Mateu, B-i 4.
TOSSA DE MAR — Centro de Actividades Subacuaticas

Mar Menuda.
TOSSA DE MAR — Centro Acuatico Tossa de Mar 'Camping Pola'.

Grenade

ALMUNECAR — Estacion de Servicio.
MOTRIL — Seccion de Actividades Subacuaticas del Club Celufosa, Camino de la Via.

Guipuzcoa

EIBAR — Club Deportivo de Eibar, Dos de Mayo 16.
SAN SEBASTIAN — Federacion Guipuzcoana de Actividades Subacuaticas, Muelle de San Sebastian, Local de la Cruz Roja del Mar.
SAN SEBASTIAN — Seccion de Buceo de la 551 Comandancia de la Guardia Civil, Avda. de Zumalacarregui 7.
SAN SEBASTIAN — Sdad. Espanola de Oxigeno Plaza Espana 3.
SAN SEBASTIAN — Federacion Guipuzcoana Actividades Sub., Prim 28 ent. 10.

Madrid

MADRID — Autogena Martinez, S.A., Hermosilla 15.
MADRID — Centro de Investigaciones y Actividades Subacuaticas CIAS — Escuela Tecnica Superior de Ingenieros de Caminos. Canales y Puertos, Ciudad Universitaria.
MADRID — Federacion Regional Centro de Actividades Subacuaticas, Zurbano 83, 2A.
MADRID — Sociedad Espanola de Carburos Metalicos S.A., Plaza Cronos s/n.
MADRID — Sociedad Espanola de Oxigeno Calvo Sotelo 18.

Malaga

BENALMADENA COSTA — Club Los Delfines.
ESTEPONA — Club Nautico.

MALAGA — Oxhidrica Malaguena S.A., Paseo de los Tilos.

Murcia

CARTAGENA — Sociedad General de Oxigeno S.A., Jara 53.
LA MANGA — Club Neptuno, La Manga del Mar Menor, Hôtel Cavanna,
SANTIAGO DE LA RIBERA — Club Mar Menor de Actividades Subacuaticas, Explanada Barnuevo s/n.

Pontevedra

VIGO — Autogena Martinez S.A., Cervantes 14.
VIGO — Sociedad Espanola de Carburos Metalicos S.A., Cortes 8.
VIGO — Suardiaz y Cia, San Lorenzo.

Santander

SANTANDER — Federacion Regional Cantabra de Actividades Subacuaticas, San Fernando 48, Casa del Deporte.
SANTANDER — Sociedad Espanola de Oxigeno, E. Pino 4.

Séville

SEVILLA — Club Caza Submarina de Actividades Subacuaticas, Mateo Gago 34.
SEVILLA — Sociedad Espanola de Carburos Metalicos S.A., V. Marmolejo.
SEVILLA — Sociedad Espanola de Oxigeno Sanchez Parrier 2.

Tarragone

TARRAGONA — Abello Oxigeno Linde S.A., Apodaca 27.

Valence

VALENCIA — Centro de Investigaciones y Actividades Subacuaticas CIAS, Albacete 24.
VALENCIA — Seccion de Actividades Subacuaticas del G.I.S.E.D., Parque Deportivo Sindical Nazaret, Parque 1.
VALENCIA GRAO — Club de Vela y Escafandrismo, Muelle Llovera.
VALENCIA — Deportes Fernando Stassman, Sorni 13.
VALENCIA — Abello Oxigeno Linde S.A., Colon 13.

Biscaye (Vizcaya)

BILBAO — Club Excursionista Vizcaino de Actividades Subacuaticas CEVAS, Almirante Recalde 60 pral.
BILBAO — Compania Nacional de Oxigeno, S.A., Gran Via 89.

Saragosse (Zaragoza)

ZARAGOZA — Club Aragones de Actividades Subacuaticas, Cantin y Gamboa 7.

Baléares

Majorque (Mallorca)

PALMA DE MALLORCA — Cala Figuera.
PALMA DE MALLORCA — Casa Beltran-Vendaval 5.
PALMA DE MALLORCA — Hotel Tukan, Cala d'Or.
PALMA DE MALLORCA — Internacional Diving Center, Paseo Maritimo.
ALMA DE MALLORCA — Sociedad General de Oxigeno S.A., Rosello 112.
PALMA DE MALLORCA — Cala d'Or, Cala Ferrerra Helga Kopp, Klaus Jesinghaus.
PALMA DE MALLORCA — Calas de Mallorca, Hotel America.
PORTO COLOM — Hotel Vista Mar.
ILLETAS — Gran Hotel, Bonanza Playa.
ESTRELLA DE MAR — Mr. A. Geratekurs, Paguera.

SANTANI — Cala Figuera, Tauchschule Ortopus, Fritz Rasshofer.

Minorque (Menorca)

VILLACARLOS — Club Nautico Villacarlos, Pl. Calvo Sotelo s/n.
CIUDADELA — Barakuda International Aquanautic Club.
ALAYOR — Club International de Buceo, Chalet 21, Caran Porter.

Formentera

Club International de Buceo Poseidon-Nemrod, Hotel la Mola,
Centro de Buceo Mero, Pension La Sabina

Ibiza

IBIZA — Garage Turrens, San Antonio Abad. Puerto.
CALA PADA — Sta. Eulalio del Rio.
SAN ANTONIO — Maris Country Club, Bungalows Stella.

Iles Canaries

Gran Canaria

MASPALOMAS — Hotel Beverly Park.
PLAYA DEL INGLES — Poseidon Nemrod.
SAN BARTOLOME DE TIRAJANA — Club Calypso, Playa de las Burras.
SAN BARTOLOME DE TIRAJANA — Club Calypso, Playa de las Canteras.
ARGUINEGUIN — 'Atlanticsub' (Barakuda) Rudolf B. Koch, tél. : 0034-28/73 52 33, Sporthotel 'Costa Alegre'.

Fuerteventura

HOTEL JANDIA PLAYA — Club Internacional de Buceo Poseidon-Nemrod.

CORRALEJO — Centro Turistico de Buceo Deportivo Barakuda-Club.

Ténérife

SANTA CRUZ DE TENERIFE — Club Int. de Buceo Atlantida Sub, San Sebastian 71.
SANTA CRUZ DE TENERIFE — Club Poseidon Nemrod, Hotel Ten-Bel, Costa del Silencio.
SANTA CRUZ DE TENERIFE — Escuela de Buceo, Fernandez Herrero 11.
SANTA CRUZ DE TENERIFE Club Poseidon Nemrod, Ten Bel, Las Galletas.
PUERTO DE LA CRUZ — San Telmo Bar.
PUERTO DE LA CRUZ — Interpalace Eurotel

Hierro

LA RESTINGA — Poseidon Nemrod.

Lanzarote

ARRECIFE — Hotel Fariones.

Gomera

SAN SEBASTIAN — Poseidon Nemrod.

Italie

Federazione Italiana Pesca Sportiva e Attività Subacquee (FIPS),
Viale Tiziano 70, 00100 Roma, tél. : (06) 39 47 54.
Comitato Italiano Ricerche Studi Subacquei (CIRSS) c/o Ing. A. Fioravanti, Viale Mura Aurelie, 7, 00165 Roma.

Chambres de recompression

ALASSIO — Porto, Nave 'Cycnus' (camera á 6 atm., tél. : 0182/51215).

ALBENGA — Centro Sperimentale Archeologia Sottomarina.

ALGHERO — Ospedale Civile, Centro Rianimazione camera Pluriposto, tél. : (079) 97 83 91.

ANCONA — Sezione Arsenale Marina Militare (Camera monoposto portatile, camera pluriposto fissa), tél. : (071) 20 41 97.

AUGUSTA — Sezione Arsenale Marina Militare (camera pluriposto), tél. : 0931/97133.

BRINDISI — Sezione Arsenale Marina Militare (camera pluriposto), tél. : 0831/22167.

CAGLIARI — Sezione Arsenale Marina Militare (camera pluriposto), tél. : (070) 617 71.

CATANIA — Ospedale Garibaldi, Piazza S. Maria di Gesù (camera pluriposto), tél. : (095) 22 53 20.

EBOLI — Via G. Battista Vignola (letto iperbarico), tél. : 0828/38185-38198.

FIUMICINO PORTO (Roma) — Pontone Sollevamento, 'unicoperi 30', Soc. Unicoperi, Milano, tél. : (02) 469 60 41.

GENOVA — Ospedale S. Martino, Istituto Medicina del Lavora (camera a 4 atm.), tél. : (010) 50 90 33.

GENOVA — Porto Armamento, A bordo nave ocean, Marsili.

GENOVA — Caserma VV.FF., V. Albertoni, tél. : (010) 29 80 21.

LA MADDALENA (Sardegna) — Sezione Arsenale Marina Militare (camera a 6 atm.), tél. : 0789/77791.

LA SPEZIA (Varignano) — Comsubin, Le Grazie (camera a 6 atm.), tél. : (0187) 361 51.

LA SPEZIA — Centro Addestramento Sommozzatori P.S. (camera a 5 atm. automontate mobile), interviene previa autorizzazione Ispettorato Corpo Guardi P.S., Ministero degli Interni, Roma.

LECCE — Ospedale Reg. 'Vito Fazzi', Reparto Rianimazione (camera Monoposto portatile, camera pluriposto), tél. : (0832) 458 88.

LIPARI — Ospedale Civile (camera monoposto portatile), tél. : (090) 91 12 30.

LIVORNO — Accademia Navale, tél. : (0586) 80 11 21.

LIVORNO — Sezione Arsenale Marina Militare, tél. : (0586) 281 50.

LIVORNO — Ospedale Civile, Centro Rianimazione (camera a 4 atm.) tél. : (0586) 403 35.

MANTOVA — Via Luzio 4 (camera monoposto portatile), tél. : (0376) 208 73.

MESSINA — Sezione Arsenale Marina Militare (camera a 6 atm.), tél. : (090) 643 12.

MESSINA — Policlinico, tél. : (090) 266 11.

NAPOLI — Sezione Arsenale Marina Militare, tél. : (081) 23 60 69.

NAPOLI — Ospedale Santobono, Centro Rianimazione, tél. : (081) 24 52 46.

NAPOLI — Policlinico, tél. : (081) 45 99 87.

NAPOLI — Istituto di Medicina del Lavoro dell' Università, tél. : (081) 34 47 20.

NOLA — Ospedale Civile (letto Iperbarico), tél. : (081) 823 11 30.

PALERMO — Istituto di Medicina del Lavoro dell' Università (camera a 3/15 atm.), tél. : (091) 22 22 21.

PALERMO — Clinica Neurologica (camera Pluriposto), tél. : (091) 22 24 81.

PALERMO — ITI Vit. Em. II (camera pluriposto), tél. : (091) 26 94 41.

PESCARA — Pontone Squalo, Ortona (Camera monoposto portatile 3 pluriposto).

PISA — Via Bonanno, tél. : (050) 50 02 22.

PISA — Infermeria Caserma 'Gamerra', tél. : (050) 283 52.

SAVONA — Via Baglietto, tél. : (019) 260 42.

Stations de gonflage

Abruzzes

CHIETI — Rivoira S.p.A., Via Erasmo Piaggio.
PESCARA — Rivoira S.p.A., Via Aterno 56.
PESCARA — S.I.O., Via Conte di Rovo 41-43.
ROSETO DEGLI ABRUZZI — Est Marine, S.S. Adriatica.

Calabre

CATANZARO — Baracuda Robinson Club, Lido.
CATANZARO — Every Sport, Via Buccarelli 32-34.
CANTAZARO — Tutto Sport, Via Menniti Ippolito 29.
CETRARO PORTO (Cosenza) — Club Nautico.
CROTONE (Catanzaro) — Casa dello Sport di Berté, Via Roma 26.
CROTONE — Ciclo Moto Sport, Via Vittorio Veneto 116.
CROTONE — Hotel Villagio, Isola Capo Rizzuto.
CROTONE — D. Carolei, Piazza Vittoria 16.
FUSCALDO MARINA (CS) — Desiderio Francesco.
LE CASTELLA (CZ) — Tommaso Tolone, Via Fosso 10.
MARATEA (Potenza) — Imprese Turistiche del Golfo di Policastro, Piazza del Ge Gesù.
PALMI — (Reggio Calabria) — APS «Marisub» Piazza 1 Maggio 7.
PALMI Saltalamacchia Antonino, Via F. Cilea 12b.
REGGIO CALABRIA — Ape Sport, Via Vecchia Pentimele 13.
REGGIO CALABRIA — D. Caccamo Sport, di Pasquale Caccamo, Via Giulia 1.
REGGIO CALABRIA — Mavilla, Via Garibaldi 344.
SOVERATO — L'Ippogrifo Sport, 1 Trav. Via Amirante 6.
VIBO MARINA — Oreste Basile, Via Emilia 96/98.
VIBO VALENTIA (CZ) — S. Cucinotta, Via Razza 21.
VIAREGGIO (Lucca) — Club Subacqueo Artiglio, Via Coppino 203.
VIAREGGIO — Plastic Sport, Via Coppino 185.
VIAREGGIO — S.I.O., Via Aurelia 67.
VIAREGGIO — Z. Lovi, Via Regia 38.

Trentin - Haut-Adige

BOLZANO — Bolzano Sub Sporttaucher-club Bozen, Via Goethe 21.
BOLZANO — F.R.O., Via G. Galilei 31.
BOLZANO — Delfin Sub, Via Lancia 2.
BOLZANO — Scuola Sommozzatori F.i.p.s., Via C. Battisti 30.
RIVA DEL GARDA (Trento) — Corpo Vigili del fuoco, Viale Trieste 1a.
TRENTO — Paolo Colombo, Via Granzioni 22.
TRENTO — F.R.O., Via Al Dessert 16.
TRENTO — Rigoni, Piazza C. Battisti.

Vénétie

ARQUA'POLESINE (Rovigo) — Delta Vacanze, Via Statale 16.
MESTRE (Venezia) — Grinta Sport, Via Piave 6d.
MESTRE — Masetto, Via Poerio 2.
MESTRE — Sport Center Pettinelli, Via Mestrina 44.
MESTRE — Styl Mare, Via Fusinato 40.
PADOVA — Club Sommozzatori, Via S. Biagio 34.
PADOVA — IPPO S.p.A., Via Vicenza 45.
PADOVA — Rizzato Sport, Viale Navigazione Interna 71.
PADOVA — S.I.O., Viale Paolo Sarpi 70.
PORTO MARGHERA (Venezia) — S.I.O., Canale Ind. Nord.
PORTO MARGHERA — Soc. Multigas, Via Malcontenta 49.
PORTOTOLLE (Rovigo) — Sport 7, Via G. Matteotti.
TREVISO — S.I.O., Via Zamarnese 10a.
TREVISO — Sport Center Pettinelli, Corso del Popolo 49-51.
VENEZIA — Grinta Sport, Via S. Marco 5028.
VENEZIA — Cantiere Scarpa, Cannaregio 1936.
VERONA — F.R.O., Stradone S. Lucia 39 bis.
VERONA — Gemmo Sport, Piazza Viviani 8.
VERONA — Masport, Via Mameli 75b.
VERONA — Organizzazione Scaligera per il 'tempo

libero' di Pagliosa Gelmina S.a.s., Corso Milano 65.

VICENZA — Blu Sub, Via Ca' Balbi 266.

VICENZA — F.R.O., Viale Martiri 1.

VICENZA — F.R.O., Viale 10 Martiri 1.

VICENZA — Panarotto, Piazzale A. de Gasperi 6.

VICENZA — Trivellato, Via Trissino 27.

Campanie

ACCIAROLI (Salerno) — 'Total' station.

AGROPOLI (Salerno) — C.R.A.S., Piazza Marina.

BAGNOLI (Napoli) — S.I.O., Via Coroglio.

BORGO MARINARO S. LUCIA (Napoli) — Sub Marine Shop.

CAMEROTA (Salerno) — Mario Sport, Via Bolivar.

CAPRI (Napoli) — Alberino Gennarino, Marina Grande 17.

CARPIOLI DI PALINURO (Salerno) — Soc. Marisilio, presso Stazione di Servizio Agip.

CAPRIOLI DI PALINURO — Villaggio Hotel Stella del Sud.

CAPO PALINURO (Salerno) — S. Sarnataro, Via Indipendenza 53.

CENTOLA (Salerno) — Mario Sport, Via Indipendenza 15.

FORIO d'ISCHIA (Napoli) — Foriosport, Via E. di Lustro.

ISCHIAPORTO (Napoli) — Ischianautica Mancusi, Via Jasolino 92.

ISCHIAPORTO — Mancusi Barbato, Via De Rivaz 1.

MARINA DI ASCEA — Baracuda club, Axel Pufahl.

MARINA DI CAMEROTA (Salerno) — Deporte Marine, Caccia Pesca Sport, Via S. Domenico 36.

MONDRAGONE (Caserta) — Achille Sorrentino, Viale Margherita 68.

NAPOLI — Cormoran, Via Caracciolo 12.

NAPOLI — Italsub, Via Diocleziano 207.

NAPOLI — Senese, Via Mergellina 210.

NAPOLI — S.I.O., Via G. Ferraris 70.

NAPOLI — S.N.O., Via G. Ferraris 144.

PISCIOTTA (Salerno) — Villagio Hotel 'Stella del Sud',

Contrada Marsilio.
SALERNO — Bonifacio, Via Porto.
SAN MARCO DI CASTELLABATE (Salerno) — Baracuda club, tél. : (0974) 96 11 21, San Marco or S. Maria di Castellabate I-87071.
SAPRI (Salerno) — Tutto Sport, Corso Garibaldi 104.
SAPRI — Villagio Turistico, 'Bungalow Residence'.
SORRENTO — Michele Maresca, Corso Italia 23/27.
TORRE DEL GRECO — Manta Sport, Via A. de Gasperi 112.

Emilie Romagne

BOLOGNA — Galleria dello Sport, Via Marconi 6.
BOLOGNA — Olimpia Sport, Via S. Stefano 35.
BOLOGNA — Play Sport, Via Barberia 20.
BOLOGNA — Scuola Federale Sommozzatori Sportivi.
BOLOGNA — Piscina Stadio Comunale.
BOLOGNA — S.I.O., Via Bigari 1.
CATTOLICA (Forïï) — Terenzi, Via Belvedere 35.
CESENA — Cervino Sport, Galleria O.I.R.
CESENATICO (Forïï) — Adrianautica, Viale Carducci 105.
CESENATICO — Nautica Mazzeo, Via Vespucci 11.
FERRARA — F.R.O. Porta Catena 39.
FERRARA — Gruppo Subacqueo Ferrarese, c/o Off. Sabra, Via Padova 29/31.
FORLI — F.R.O., Via A. Costa 4.
FORLI — Nauticaravan 'Crociani', Viale Risorgimento 105.
LUGO (Ravenna) — Nautica Balbi Gio Giorgio, Via Circondaria Sud 1.
MARINA DI RAVENNA — G.S. Sub Delphinus, Piazzale Bacino.
MODENA — Associazione Subacquea 'Bruno Loschi', Via Montecuccoli 21.
MODENA — F.R.O., Via Costa 31.
PARMA — Aquasport, Strada dei Farnese 1
PARMA — Carlo Sport, Via al Collegio M. Luigia 17.
PALMA — Fava Sport, Via Montebello 83.

PALMA — F.R.O., Strada S. Gerolamo 6.
PIACENZA — S.A.F.O.A., Via Farnesana 47.
PIACENZA — Olimpia Sport, Via Dante 118
RAVENNA — Casa della Gomma, Via Cavour 40.
RAVENNA — F.R.O., Via M. Perilli 46.
RAVENNA — G.S. Sub Delphinus, Piazza Kennedy 16.
REGGIO EMILIA — Associazione Subacquea 'Sesto Continente', Via Guido da Castello 8.
REGGIO EMILIA — S.I.O., Via C. Zatti 8.
REGGIO EMILIA — S.I.O., Via F. lli Manfredi 38a.
RIMINI — F.R.O. Via Flaminia 179.
RIMINI — S.I.O., Via Circonvallazione Meridionale
SAN GIOVANNI (Forli) — Off. Iccocenti di Tintoni Michele, Via al Mare.

Elbe (Ile d')

CARPANI — F. Pacini.
LACONA — Parkplatz Pizzeria, opposite Hotel Lacona.
MARINA DI CAMPO — 1-57034 — Pitt Ysell, Camping del Mare, tél. : 0039565-97237.
MARINO DI CAMPO — Officina Meccanina G. Dini.
MARINO DI CAMPO — Mare Sport, Piazza Victor Emmanuele 14.
Gulf of MORCONE — Capoliveri (Sport Scheck).
PORTO AZZURO — Subex, Pension Barbarossa, Walti Guggenbühl.
PORTO AZZURO —'s-Andrea i Marciana.
PORTOFERRAIO — Camping Acquaviva, Capo d'Enfola.
PORTOFERRAIO — Armeria Elbana, Via Manganaro 10.
PORTOFERRAIO — Brandino, Via Carducci.
PORTOFERRAIO — Lady Jane, Via Carducci 52.
PORTOFERRAIO — Sport Market di Demitri Antonio, Via Carpani 116.
PORTOFERRAIO — Tourist Market di Gasparri Calata Italia.
PROCCHIO — C. Mazzei.

Frioul-Vénétie Julienne

LIGNANO SABBIADORO (Udine) — Offshore Unimar, Piazza Italia.

MARANO LAGUNARE (Udine) — Nautiuno, Via Strozzi 3.

MONFALCONE (Gorizia) — So-Co-Gas, Via XXV Aprile 30.

PORDENONE — Centre Pordenonese Sommozzatori, Via Montereale 8a.

PORDENONE — Sport Team, Via Vallona 13a.

PORDENONE — Toffoli, Piazzale XX Settembre.

SPILIMBERGO (Pordenone) — Mario de Franceschi, Via Roma 76.

TRIESTE — Kravanja, Via A. Diaz 22.

TRIESTE — S.I.O., Strada da Fiume 20.

TRIESTE — So-Co-Gas, Passaggio S. Andrea 98a.

TRIESTE — G. Tardivello, Via del Gelso 36.

Latium

ANAGNI (Frosinone) — Rivoira S.p.A., Frazione S. Bartolomeo.

ANZIO (Roma) — Navalmotor, Riv. Zanardelli 275.

CIVITAVECCHIA (Roma) — Cooperativa C. Se. Po Sub, Via del Turco 4.

CIVITAVECCHIA — R. Bartozzi, Piazza Regina Margherita 5.

FIUMICINO (Roma) — Lucaroni, Via Traiano 9/11/13.

FORMIA (Latina) — 11 Porticciolo, Via Vitruvio 90e.

GAETA — Pesca Motonautica Sport, Lungomare Caboto 66.

LADISPOLI (Roma) — Pierotti Sub, Via di Palo Laziale 15.

LATINA — Armi Sport di F. Giorgetta, Via Mameli 27.

PONZA (Latina) — Barracuda, Via Mannozio 1.

PONZA — Da Totonno, Via Banchina al Porto.

PONZA — Paesano Antonio, Corso C. Pisacane.

PONZA — Villaggio E.N.A.L., Lido di Frontone.

PONZA — Vitiello Tommasino, Panchina Porto 20.

ROMA — Acquasport, Largo P.F. Scarampi 1.

ROMA — Armeria Frinchillucci, Via Barberini 31.

ROMA — Banchetti Roberto, Via P. Eugenio 66.

ROMA — Bannini Sport, Via Stelvio 15/17

ROMA — Calconi Sport, Via Valenziani 18.
ROMA — Camerini Sport, Via Anicio Gallo 58.
ROMA — Casa del Pescatore, Viale Giulio Cesare 101.
ROMA — Caracciolossigneno, Via del Macao, 4/10.
ROMA — Centro Sub 'Policlinico Italia', Piazza Campidano 6.
ROMA — Cisalfa, Largo Brindisi 5a.
ROMA — CMAS, Circonvallazione Clodia 78 e.
ROMA — C-Sub, Via Teodore Valfré 14/16/18.
ROMA — Eurosport, Viale Europa 90 (EUR)
ROMA — F.I.D.O., Locatelli, Via Giovanni da Empoli 8/10.
ROMA — Fischerman's, Piazza Euclide 1.
ROMA — Intercom, Via Badia di Cava 80.
ROMA — Yachting Sport, Via Spalato 37.
ROMA — Motonautica-Sporting-Sub, Via Della Balduina 7b.
ROMA — Rivoira S.p.A., Via Tiburtina 271.
ROMA — Rudy Sport, Via dell'Aeroporto 65/67.
ROMA — S.O.N., Via Tiburtina 1100.
ROMA — S.I.O., Via Prenestina 189.
ROMA — Sport Center, Via Tagliamento 7.
ROMA — S.R.L., Geca, Piazza Conca d'Oro 37.
ROMA — Valmar, Viale del Vignola 17.
ROMA — Viralfa S.N.C., Largo Brindisi 5.
SANTA MARINELLA (Roma) — Finder Sport, Via Aurelia 405/408.
SORA (Frosinone) — Sportman, Lungoliri Mazzini 11/13.
TERRACINA (Latina) — Marzullo, Via Roma 136.
TERRACINA — Mori Oberdan, Via C. Colombo 14.
VITERBO — Caggioli Sport, Corso Italia 122.

Ligurie

ALASSIO (Savona) — Angolo dello Sport, Via Hambury 40.
ALASSIO — Centro Sport, Via Dante 146.
ANDORA (Savona) — Nico Sport, Via Andrea Doria 36.
ARENZANO (Genova) — Gianni Camere, Vico Cappucci

10/12.

ARMA DI TAGGIA (Imperia) — Granero Sport, Via Stazione 103.

CAMOGLI (Genova) — A. Costa, Via Garibaldi 33.

CEPERANA (La Specia) — Galeazzi R., Via Lagoscuro 19.

CERIALE (Savona) — Pesca & Sport, Piazza Vittoria 20.

DIANO MARINA (Imperai) — V Ugo, Corso Garibaldi 32.

FINALE LIGURE (Savona) — Peluffo Sport, Via Molinetti 1.

FINALE LIGURE — Tutto Sport, Via Pertica 43.

GENOVA — Hobby Sport, Via Felice Cavallotti 59/61

GENOVA — Mare Sport, Via G. Bruno 11r.

GENOVA — Mauri Sport, Via Timavo 51/53.

GENOVA — Pesca Sport Finocchiaro, Via Porta Soprana 49r.

GENOVA — Pesca Sub Chiappini, Via di Scurreria 43/3.

GENOVA — Simon Sport, Via Montesuello 16/41.

GENOVA — S.I.O. , Molo Giano.

GENOVA — Centro Foto Ottico Subacqueo Via Rimassa 145 r.

GENOVA-CORNIGLIANO — S.I.O., Via A. Siffredi 40.

GENOVA-CAMPI — S.I.O., Via di Cornigliano 14.

GENOVA-NERVI — G. Marsano c/o Hotel Palme Parco, Viale delle Palme.

GENOVA-PRA' — Alfredo Pastorino, Via Prà 158.

GENOVA-QUINTO — Jolly Sport, Via Divisione Acqui 14.

GENOVA-SESTRI — Pesce Sport, Piazza Aprosio 7

GENOVA-VOLTRI — Luciano Sport, Via D.G.Verità 113.

GUERCIO DI LERICI (La Specia) — Repetto Stefano, Via Statale 331.

LA SPEZIA — Del Bello, Viale Amendola 175/176.

LA SPEZIA — Duvia Orazio, Via Carducci 85.

LA SPEZIA — Pesca Sport, Via XX Settembre 7.

LA SPEZIA — S.I.O., Via Maralunga 1r.

LAVAGNA (Genova) — Castagnino Terenzio & Angelo. Via del Devoto 114.

LEVANTO (La Spezia) — Pesca Sport, Via E. Zoppi 4.

LEVANTO — Ci Ca. Sub L. Perrone, Corso Italia 13.

LEVANTO — Nautica Sport di L. Perrone & Bertolotto, Corso Roma 10.

LOANA — Sport di Rovere, Via P. Rocca 12.

MONEGLIA (Genova) — Mare Sport, Corso Italia 20/25.

ONEGLIA (Imperia) — S.I.O., Via Garessio 5 bis.

PORTOFINO (Genova) — Portofino's Yacht Chandler, Via Molo Umberto 9.

PORTO LOANO (Savona) — Ditta Sport, Via P. Rocca 12.

PORTOVENERE (La Spezia) — Fabi Pierluigi, Via Molo Dondero Box 4, int. 2.

PUGLIOLA DI LERICI (La Spezia) — Stefano Repetto, Via Provinciale 117.

RAPALLO (Genova) — Mares Sport, Corso Italia 15.

RIVA TRIGOSO (Genova) — Solari, Via Balbis 4.

S.BARTOLOMEO AL MARE (Imperia) — Pesca-Sport, Via Aurelia 62/74.

SANREMO (Imperia) — Eurosport, Corso Orazio Raimondo 29b.

SANREMO — Motonautica Bruno, Piazza Brescia 4.

SANREMO — Sportman S.n.C., Via Escoffier 14.

S.MARGHERITA (Genova) — A. Figallo, Via Gramsci 107.

S.MARGHERITA — A Gandini, Via del Sole 1.

S.MARGHERITA — G. Soggiu, Via Gramsci 17.

S.TERENZO (La Spezia) — Autosport di Maggetti, Via Mesuro 2.

SAVONA — Aprile Sport, Via Caboto 1r.

SAVONA — Armeria Tessitore, Via N. Sauro 25r.

SAVONA — C.A.S.A., via G. Brignoni 11r.

SAVONA — Comando Gruppo Sommozzatori, Via S. Lucia, Capitaneria di Porto.

SAVONA — S.I.O., Calata Sbarbaro 46r.

SESTRI LEVANTE (Genova) — Mare Sport, Piazza Nuovo Mercato.

VADO LIGURE (Savona) — Cucciolo, Via E. Ferraris 16.

VADO LIGURE — S.I.O., Via Manzoni 11/13.

VARAZZE (Savona) — Tutto Sport, Via Colombo 11.

VENTIMIGLIA (Imperia) — D'Orsi Sport, Via Giovanni XXIII 3.

Lombardie

BERGAMO — Goggi Sport, Via G. Paglia 1.

BERGAMO — Sport Sottocornola, Via Camozzi 76.

BRESCIA — Aqua Sport, Via Cremona 35.

BRESCIA — Armando Sport, Piazza Martiri di Belfiore 1.

BRESCIA — Frao S.p.A., Via Rose di Sopra 13.

BRESCIA — Ogna Sport, Via Cremona 35.

BRESCIA — S.I.O., Via Codignole 2.

BRESCIA — Caratti Sport S.n.c., Corso Martiri della Libertà 40b.

BRESCIA — Tonolini Giuseppe S.a.s., Via Trento 159.

BRESCIA — Ziliani, Corso M. Libertà 46.

BUSTO ARSIZIO — S.A.P.I.O., Via T. Tasso.

CERIANO LAGHETTO (Milano) — Rivoira S.p.A., Via Dell'Industria.

COMO — Cassa Sport, Via Castellini 4.

COMO — Sport Cantoni di Cantoni Piercesare & C., Via Muggió 21.

CORMANO (Milano) — Sil-Fer, Via Cadorna 85.

DESENZANO SUL GARDA (Brescia) — Tonolini Sport, Via Roma 26.

LECCO (Como) — Articoli Sportivi Venini Via Sirtori 1.

LECCO — Cassin Sport, Via Cavour 87.

LEGNANO (Milano) — Franco Caccia Sport, Via Montebello 4.

LEVATA (Mantova) — Gruppo Sub Mantova 'Mauro Bodini', Via Costituzione 23.

MANDELLO (Como) — S.A.P.I.O., Via Prà Magno.

MANTOVA — Ditta Vemgas, Viale Montello.

MONTOVA — S.I.O., Via Oberdan 31.

MILANO — Coletta Mario, Via degli Umiliati 38.

MILANO — Colli Francesco, Via M. Gioia 112.

MILANO — Diprete Sergio, Via Ripa Ticinese 17.

MILANO — Eurosub, Via Settala 3.

MILANO — Germani, Via Carlo Troya 5.

MILANO — Giorgio Sub, Via L. Canonica 67.

MILANO — La Bottega del Subacqueo, Via Barnaba Oriani 48.

MILANO — La Cala Nautica, Via Soderini 9.
MILANO — Via Legioni Romane 55, Mordem.
MILANO — Nautica Sport di R. Fiocco, Via Ripa Ticinese 107.
MILANO — Pegasub S.r.l., Via Vittoria Colonna 43.
MILANO — Rivoira S.p.A., Via Puricelli 13.
MILANO — Soc. Brambilla, Via Valassina 12.
MILANO — Sportissimo di Reda, Viale Beatrice d'Este 48.
MONZA — (Milano) — Colombo Sport, Via C. Alberto 27.
MONZA — S.A.P.I.O., Via Silvio Pellico 42.
SEVESO (Milano) — Peppo Sub, Via Galimberti 8.
S.FERMO (Como) — Felice Marelli, Via S. Maria.
SESTO CALENDE (Varese) — S.A.F.O.A.
SESTO S. GIOVANNI (Milano) — S.I.O., Viale Italia 226.
VAREDO (Milano) — Preppo Sub, Lido Azzurro Varedo.
VIGEVANO (Pavia) — Chiola Sport, Via G. Silva 20.
VOGHERA (Pavia) — Croce Sub, Piazza S. Bovo 24.

Marches

ANCONA — Centro Attività Subacquee, Via Gramsci 4f.
ANCONA — Centro Sportivo Riviera del Conero, Via dell'Industria 10.
ANCONA — S.I.O., Molo Sud 13.
CIVITANOVA M. (Macerata) — S.I.O., Via Carducci 14.
FALCONARA MARITTIMA (Ancona) — Club Sub Barracuda di Chidi & Fioretti, Via Flaminia 585.
MARINA DI CONERO (Ancona) — — Ente Provinciale per il Turismo.
PESARO — Sub Tridente 'S. Caracchini', Calata Duilio, Via fra i Due Porti 12.
PORTO S. GIORGIO (Ascoli Piceno) — Angelici Michele, Viale Stazione 24.
S.BENEDETTO DEL TRONTO (Ascoli Piceno) — Romandini Enrico, Via Sabotino 129.

Piémont

ACQUI — S.I.O., Corso Bagni 17.

ALESSANDRIA — Rivoira S.p.A., Via C. Pisacane 5.

ALESSANDRIA — S.I.O., Via Marengo 46.

ALESSANDRIA — So.Co.Gas, Via Pisacane 5.

ARONA — Pik Sport, Via Republica 54.

ASTI — Gruppo Sub Asti, Via Duca d'Aosta 50.

ASTI — Rivoira S.p.A., Via del Pilone 141.

ASTI — S.I.O., Via Cavour 29.

ASTI — Tutto Sport, Piazza Alfieri 6.

BIELLA (Vercelli) — Circolo Subacquei biella, Corso Piazzo 25.

BIELLA — Marangoni Sport, Via Torino 58.

BOSCOMARENGO (Alessandria), Baluschi Sport, Strada Statale, 35 bis dei Giovi

CHIVASSO (Torino) — Rivoira, Str. di Torino 134.

INTRA (Novara) — Casa della Gomma, Via Bajettini 11.

NOVARA — Bertone Sport di A. Bertone, Via Garibaldi 5/2.

NOVARA — Milone Sport, Corso Italia 16b.

NOVARA — So.Co.Gas, Via M. della Torre 16.

NOVI LIGURE — S.I.O., Via Ovada.

TORINO — Bari Sub, Via dei Mille 10.

TORINO — Milanesio Sport, Corso Peschiera 276.

TORINO — Mirabell, Corso De Gasperi 18.

TORINO — Rivoira S.p.A., Via Botticelli 57c.

TORINO — Schenone Sport, Via Madama Cristina 66.

TORINO — F. Todini, Piazza Martiri della Libertà.

TORTONA (Alessandria) — E.I.R., Rivoira Via U. Visconti 3.

TORTONA — S.I.O., Strada Viguzzio 11a.

TRINO VERCELLESE (Vercelli) — Tordini Felice, Via Vercelli 9.

Pouilles

BARI — E. Baldassarre, Via Argiro 86.

BARI — De Fano, Via G.P. Amedeo 349.

BARI — Nauticos Pesca Sport, Via Cognetti 53/54.

BARI — Nautica Sport Autocorsa, Via P. le Amedeo

130.
BARI — R.A. Sub, Piazza A. Diaz 7.
BARI — S.I.O., Via G. Amendola 124.
BRINDISI — D. Barretta, Piazza S. Teresa 2.
BRINDISI — Motonautica Angelilli, Corso Umberto 136.
BRINDISI — F. Spagnolo, Piazza Sedile 4.
BRINDISI — Retinó Armi Sport, Corso Umberto 72.
BRINDISI — Trisciuzzi, Via Bastioni San Giorgio 46.
BRINDISI — Vercelli Pietro, Stazione di Servizio Total, Via Appia.
CAMPOMARINO (Taranto) — Olympic Sport c/o Circolo Nautico.
FASANO (Brindisi) — Giovanni De Mattia, Via degli Scavi 70.
FOGGIA — Centro Nautico, Viale Ofanto 198
FOGGIA — Lucianetti, Via C. Appiano 34/36.
FOGGIA — S.I.O., Via Case Popolari (ang. Strada).
GALLIPOLI (Lecce) — W. & Reali, Piazza Tellini 8/10.
LECCE — Adriatica Boats, Via Fazzi.
LECCE — Corbelli Mare, Via Boccaccio 16/24.
LECCE — Mare Sport, Via S. Francesco d'Assisi, 27.
LECCE — Pescasport di Petrelli, viale Lo Re 26b.
LECCE — S.I.O., Via Brindisi 6.
MANFREDONIA (Foggia) — Amoruso, Corso Roma 138.
MANFREDONIA — Starace, Via Manfredi.
MARINA DI SAVELLETRI (Brindisi) — Artipesca, Via degli Scavi 70.
MOLFETTA (Bari) — Ciannamea Salvatore, Via Picca 62.
OSTUNI (Brindisi) — Luciano Sub, Corso Garibaldi 369/371.
OTRANTO (Lecce) — Nautica Pesca Sport, Via Garibaldi 24.
POLIGNANO A MARE (Bari) — d'Aprile Lucia, Piazza Sarnelli 62/70.
PORTO CESAREO (Lecce) — F.lli Greco, Via Perin 25.
S. DOMINO (Isole Tremiti-Foggia) — Franca Sport, Via dei Cameroni 25.
SAN FOCA (Lecce) — Mare Sport di Meo, Piazza del Popolo.

TARANTO — Em. De vita, Vial Virgilio 140.

TARANTO — Fonderia Cinquegrana, Via Picardi 23.

TARANTO — S.A.P.I.O., Via della Croce 48.

TARANTO — S.I.O., Via Tremenide 13.

TARANTO — Emporio del Sub, Viale Magna Grecia 98.

TARANTO — Safari Sport, Via P. Amedeo 380.

TORRE A MARE (Bari) — Jacovelli Mauro, Piazza della Torre 22.

TRANI (Bari) — Giannelli, Corso Vittorio Emmanuele 107.

VIESTE (Foggia) — Tutto per il Mare, Viale C. Colombo 9.

Sardaigne

ALGHERO — Baracuda Club, Hotel Corte Rosada.

ALGHERO (Sassari) — A.D. Napoli, p. Civica 14.

ALGHERO — Motonautica Della Valle e Ibba, Porto Conte.

ARBATAX — Lotzorai (Nuoro) — Camping 'Le Cernie'.

ARZACHENA (Sassari) — Salaris Sebastiano, Piazza Risorgimento 3.

BAJA SARDINIA — Sub Control, Urs Mose, Hotel Tre Bolti.

BUDONI (Nuoro) — Caccia Pesca Sport, Via Nazionale 29.

CAGLIARI — Casa Dello Sport, Via Alghero 13.

CAGLIARI — G. Cortis, Via Angioini 36/38.

CAGLIARI — De Gioannis, Viale La Plaia.

CAGLIARI — De Martinis, Via dei Mille 17.

CAGLIARI — Lega Navale Italiana, Viale Colombo 135.

CAGLIARI — M.I.T.A., Piazza Deffenu 4.

CAGLIARI — Nautisport, Viale Bonaria 25

CAGLIARI — Sardacamping, Viale Monastir

CAGLIARI — S.A.S.O.I., Via del Cimitero 2.

CAGLIARI — S.I.O., Via Roma 259.

CAGLIARI — Stare, Piazza Sirio 3.

CALA GONONE (Nuoro) — A. Trombotto, tél. : 96152.

CALA GONONE — Villaggio Turistico Palmasera, Via Bue Marino.

CALASETTA (Cagliari) — Stazione di Rifornimento Esso, Via Tabarchini 49.

CARLOFORTE (Cagliari) — Meccanico A. Saliu Via Cantieri.

GOLFO ARNACI (Sassari) — Langella Giuseppe, Via Libertà 18.

IGLESIAS (Cagliari) — Automotonautica, Via Garibaldi 41.

LA MADDALENA (Sassari) — Berto Sub di Ugazzi, Cala Gavetta.

MURAVERA (Cagliari) — Paderi Mario & Figli, Via Roma 59.

OLBIA (Sassari) — U. Cocchi, Via Regina Elena 29.

OLBIA — G. Piro, Corso Umberto 36.

OLBIA — Gestal Bala Caddinas, Località Caddinas.

ORISTANO (Cagliari) — Mot. Ivo Loi, Via Cagliari 60.

PALAU (Sassari) — Squalo Sport, Via Nazionale 31.

PALAU — Forniture Nautiche.

PALAU — Bombole Sub Ricarica.

PORTO CERVO (Sassari) — Marina Sarda.

PORTO POZZO — Sub Control, Hans Meier.

PORTO ROTONDO (Sassari) — Albert Sport.

PORTO TORRES (Sassari) — B. Pintus, Giovanna Baffigo, Corso Vittorio Emmanuele 70.

SANTO STEFANO — Club Mediterranée, Bungalows.

SAN THEODORO — Sport Scheck, Bernard Carreir, Bungalow San Theodoro.

S.ANTIOCO (Cagliari) — Albina Pinna & Crastus Mario, Via E. d'Arborea 102.

S. ANTIOCO — Bernardo Dessy, Via E. D'Arborea 98a.

S. ANTIOCO — Mare e Sport, Via Nazionale 20.

SASSARI — Chessa, Piazza Tola 6.

SASSARI — Pasquali, Via F. Cavallotti 21.

SASSARI — S.I.O., Piazza Università 8.

SASSARI — Vendita Articoli Nautici, Via A. Deffenu 22.

S. LUCIA DI SINISCOLA (Nuoro) — Sport-mare.

S.MARGHERITA DI PULA (Cagliari) — Hotel Castello, Fore Village.

S. TERESA DI GALLURA (Sassari) — Baelde Paolo, Loc. Torre Vecchia.

STINTINO (Sassari) — H. Kruse, Staz. Servizio Total,

Via Appia.
STINTINO — Falcone Sub, Capo Falcone.
STINTINO — Lina Hotel di Scanu.
STINTINO — Mariani Antonio, Via Porto Torre.
VALLE DORIA (Sassari) — International Camping 'Valle-doria'.

Sicile

ACCITREZZA (Catania) — Trezza Sports.
ACCITREZZA (Catania) — Nautica Acimar, Via Provinciale 222.
ALCAMO (Trapani) — Armeria Fici Maria Pia, Via S. Oliva 12.
AUGUSTA (Siracusa) — Passanisi, Corso Umberto 48.
AUGUSTA — Sicula Sea Service, Corso Sicilia Angolo 4 Traversa Palazzo Vaia Sicca.
AUGUSTA — S. Mellea, Via P. Umberto 151.
AVOLA (Siracusa) — Alfo Sport, Via Manzoni 5.
CASTELVETRANO (Trapani) — Studio Gioco Sport, Via Vittorio Emmanuele 16.
CATANIA — Antonio Testa, Via Acireale 34.
CATANIA — Ares Sport, Via Canfora 106.
CATANIA — Circolo Cacciatori Subacquei, Ognina Porticello.
CATANIA — Maresport Milene, Piazza Mancini Battaglia 27.
CATANIA — Koda Sport, Viale Libertà 126.
CATANIA — Sicula Sport, Via Dusmet 45/6.
CATANIA — S.C., Centrale Sottomarina, Via Umberto 67.
CATANIA — S.I.O., Via Tezzano 4.
CEFALU (Palermo) — Hotel Kaldura.
FAVIGNANA (Island Egadi-Trapani) — Artesportsub, Via Roma 13.
FAVIGNANA — D. Canizzaro, Via Roma 10.
FAVIGNANA — Tutto Sub, Porticciolo San Leonardo 8.
FILICUDI (Island of Filicudi) — Poseidon Nemrod, Hotel Phenicusa, Rico Lomazzi.
GELA (Caltanissetta) — Emmanuele Minardi, Via Cat-

tutti 2.

GIARDINI (Messina) — Sparta Nicolo, Via Zara 9.

LAMPEDUSA (Agrigento) — Pensione Giardina, Porticciolo.

LAMPEDUSA — Salvatore Lo Verde, Porticciolo.

LAMPEDUSA — Virgilio Ferrari, Porticciolo.

LIPARI (Island Eolie-Messina) - G. Adornato, Corso Vittorio Emmanuele 178.

LIPARI — Belletti, Via Vittorio Emmanuele 199.

MARINA DI PATTI (Messina) — Nautica Sport, Via Capitano Filippo Zuccarello.

MARSALA (Trapani) — CE.MA. Simpaty, Piazza F. Pizzo 24.

MARSALA — Lombardo Cerdia, Via Frisella 60.

MAZARA DEL VALLO (Trapani) — Armi Sport Corso Diaz 72.

MESSINA — Anna Spinella, Via Giordano Bruno 47.

MESSINA — Cracchiolo, Corso Vittorio Veneto 126.

MESSINA — R. d'Angelo, Via Torino, lotto 12 zona industriale.

MESSINA — Bonfiglio Stellano, Via Regina Margherita 5.

MILAZZO (Messina) — Fratelli La Rosa, Via Madonna del Lume 4.

MILAZZO — Motomar Sport 'la Rosa', Via Ten. Minniti 12.

PALERMO — Cammarata, Via Duca della Verdura 13.

PALERMO — Poseidon Nemrod, Gunnar Steinke, Citta del Mare Hotel.

PALERMO — Mediterranea Sub, Vicolo Drago 4, Traversa via dei Cantieri.

PALERMO — Michele di Trapani, Via Resuttana Colli 227.

PALERMO — S.I.O., Via dei Cantieri 8a.

PALERMO — S.I.O., Via Guardione 22.

PALERMO — Soc. I.S.O., Viale Regione Siciliana 9488.

PALERMO — Tutto Sport, Via Dante 44.

PANAREA (Island Eolie — Messina) — Hotel Raja.

PANTELLERIA (Trapani) — P.U. Santoro, Via Cagliari.

PATTI (Messina) — Nautica Sport di Gaetano Stroscio,

Via Capitano F. Zuccarello.
PRIOLO (Siracusa) — Multigas Sicilia.
RAGUSA — Sport di G. Guastella, Via Roma 88.
SCIACCA (Agrigento) — Xacca Nautica, Via Lido
Esperanto 29.
S. TERESA DI RIVA (Messina) — Bonfiglio Stellaro, Via
Regina Margherita 5.
SIRACUSA — Armisport, Via Tisia 11.
SIRACUSA — S.M.O. , Via Ermocrate.
STROMBOLI (Island Eolie-Messina) — Privato Villa Roc-
cabella, Località Fico Grande.
TAORMINA (Messina) — Albergo Spisone, Stockholm.
TAORMINA — Eurotourist, Gerd Graham, Hotel Isa-
bella.
TRAPANI — Caccia & Sport, Corso Vittorio Emmanuele
47.
TRAPANI — Caruso Angelo, Via G. da Procida 8.
TRAPANI — Gaspare Virgilio, Corso Vittorio Emma-
nuele 147.
TRAPANI — R. La Russa, Via Fardella 309.
TRAPANI — Sport Mare, Via G. Marconi 220.
TRAPANI — Tutto per il Sub, Piazza Locatelli 6.
USTICA (Palermo) — S. Giuffria, Piazza Umberto 1.
VITTORIA (Ragusa) — Armi Sport di lapichino, Via
Ruggero Settimo 77.
VULCANO (Island Eolie-Messina) — Villaggio Vacanze.
VULCANO — Sgrò Natale, Oasi di Vulcano.

Toscane

ALBINIA VOLTONCINO (Grosseto) — Club Sommozza-
tori Perugia, Camping 'Village Stand'.
ANTIGNANO (Livorno) — Stazione Servizio Agip di
Disorco, Via V. Mondolfi 154.
ANTIGNANO — Nardoni, Stazione di Servizio Agip.
ARDENZA (Livorno) — Nardoni, Stazione di Servizio
Agip, Via Aurelia.
AREZZO — O.K. Sport, Via Guido Monaco 61/63.
AREZZO — S.I.O., Via Duomo Vecchio.
CASTELLINA SCALO (Siena) — Piscina Luxor.

EMPOLI (Firenze) — S.I.O., Via Salvagnoli 25.

FIRENZE — Camping Sport, Via dei Servi 72 r.

FIRENZE — Casa dello Sport, Via Tosinghi 8/10r.

FIRENZE — Centro Sub Firenze, Via Lungo l'Affrico 84r.

FIRENZE — Franco Sport, Via Nazionale 109.

FIRENZE — Galleria dello Sport, Via Ricasoli 25/33r.

FIRENZE — Instituzione di Salvamento Subacqueo, Lungarno dei Pioppi 23.

FIRENZE — Miniati Off. App. Sub, Via Aretina 101r.

FIRENZE — 11 Rifugio, Piazza Ottaviani 3r.

FIRENZE — Rivoira S.p.A., Via A. Guidoni 10.

FIRENZE — S.I.O., Piazza Duomo 28.

FIRENZE — S.I.O., Via Panciatichi 79.

FOLLONICA (Grosseto) — Sport di A. Bicheri Gigliotti, Viale Italia Tre Palme.

GROSSETO — Casa dello Sport, Via Oberdan 8.

GROSSETO — K.L. Sport, Via Matteotti 18.

ISOLA DEL GIGLIO (Grosseto) — F. Fanciulli, Pensione Bahamas, Giglio Porto.

ISOLA DEL GIGLIO — Giglio Sub, Via Molo Rosso.

LIVORNO — Filippini, Via Garibaldi 251.

LIVORNO — Leone Mare, Scali Saffi 3/5.

LIVORNO — S.O.L., Piazza XI Maggio.

LIVORNO — Soldaini, Via della Padula 46.

LUCCA — Alasport, Viale Regina Margherita 7.

LUCCA — Stazione Servizio Total, Via L. Papi (Cir. Porta S. Anna Vecchia).

MARINA DI CARRARA (Massa) — Montes Yacht Service, Molo di Ponente.

MASSA CARRARA (Massa) — Forcieri Luigi, Stazione di Servizio Total, Viale Lungomare.

MONTE ARGENTARIO (Grossetto) — Loffredo Luciano, Piazza Candi 9.

MONTE ARGENTARIO — Sergio Galatolo, Lungomare Navigatori 50.

ORBETELLO (Grosseto) — Bastogi, Corso Italia 25.

PIOMBINO (Livorno) — A. Ciampi, Via Boccaccio 9.

PIOMBINO — S.O.L., Viale Unità d'Italia

PIOMBINO — Gambi, Via Salivoli 36.

PISA — S.O.L., Via Ponte Piglini 12.
PISTOIA — Centro Sport, Corso Gramsci 163.
PISTOIA — S.I.O., Via Spontini.
POGGIBONSI (Siena) — Hobby Sport, Piazzi Mazzini 4.
PORTO S.STEFANO (Grosseto) — Landini, Via Jacovacci 5.
PRATO (Firenze) — Casa dello Sport, Piazza S. Marco 12.
PRATO — Plastica, Via Banchelli 5/7.
ROSIGNANO SOLVAY (Livorno) — M. Gratificati, Via Aurelia 240.
SIENA — S.I.O., Via Stufasecca 240.
VADA (Livorno) — Centro Sub, Via Aurelia Suc, 64b.

Monaco

Club Chasse et Exploration Sous-Marine de Monaco 30, rue Grimaldi, Monaco, tél. : 302465.

Chambre de recompression

— Musée océanographique
— Pompiers de Monaco (Croix Rouge)

Stations de gonflage

— Musée océanographique
— Pompiers de Monaco
— Centre de Plongée du M.J.C. Alain Saquet, 6 Quai Albert 1er, Port Monaco, tél. (93) 506100.

Portugal

Centro Portugues de Actividades Subaquaticas, C.P.A.S.
Rua das Janelas Verdes 37, Lisboa 2, tél. 674545
Federação Portuguesa de Actividades Submarinas. Rua
do Arco do Cego 90, Lisboa 1., tél. 766216 — 762353 —
769164.

Chambre de recompression

Base navale de Lisbonne, Alfeite, tél. 270953 - 270956
(nuit)

Stations de gonflage

AÇORES — Clube Nautico de Angra do Heroismo, Rua
28 de Maio.
CABO RUIVO — Sogàs, Av. Infante D. Henrique,
Lisboa.
CALDAS DA RAINHA — La Casa da Cultura.
FAIAL — Comissão de Turismo, Açores.
FARO — Pompiers (Bombeiros)
FARO — L'Air Liquide, Algarve.
FUNCHAL — Clube Naval do Funchal Madeira.
LAGOS — Pompiers.
LAGOS — Automoveis Chandler, Algarve.
LISBOA — Macontil, Rua Vieira da Silva, 46.
LISBOA — Simotal, Avenue de Roma, 27.
LISBOA — (BSB) — Pompiers, Av. D. Carlos 1.
LISBOA — L'Air Liquide, Av. da Almangem.
LISBOA — C.P.A.S. Rua das Janelas verdes 37.
LISBOA — B. Sapadores Bombeiros, Av. D. Carlos.
LISBOA — Secretariado da Juventude.
PONTA DELGADA — F. Agar, S.Miguel Acores.
PORTIMAO — Pompiers.
PORTO (BSB) — Pompiers.

PORTO — Rua Aleixo da Mota.
PORTO — L'Air Liquide.
PORTO — B. Sapadores Bombeiros.
RAIA DA LUZ — Club de plongée de M. Bill.
SANTA MARIA — Aéroporto de Santa Maria, Acores.
SANTO ANTONIO (Vila real de) — Pompiers.
SESIMBRA — Doca de Sesimbra.

Bibliographie

Livres

— *La plongée*, Guy Poulet et Robert Barincou, Denoël (conseillé par la F.F.E.S.S.M.).
— *La plongée*, Marine Nationale, Arthaud.
— *La plongée sous-marine*, Marabout-Flash (Flash 228).
— *La plongée sous-marine* Vacances chez Neptune, Robert Stenuit, Editions Art et Voyages.
— *Merveilles et mystères du monde sous-marin*, Sélection du Reader's digest.
— *L'homme et la mer*, Stephane Groueff, Larousse - Paris-Match.
— *La mer vivante*, C. Petron et J.B. Lozet, Denoël.
— *La mer*, Grande encyclopédie Alpha, Alpha pour tous.
— *Le monde sous-marin et son image* J.-J. Mensy, Paul Montel.
— *Droits et devoirs du plongeur sous-marin*, J. Dumas, Ed. du Cosmos.
— *Classification des amphores*, J.P. Joncheray, J.P. Joncheray.
— *Tous les animaux du monde*, Larousse.
— *La chasse sous-marine*, E. Guerrier, Solarama.
— *200 belles plongées en Méditerranée*, Océans, n° hors série.
— *200 belles plongées en Atlantique*, Océans, n° hors série.

Revues

— L'aventure sous-marine, Revue officielle de la F.F.E.S.S.M.

— *Etudes et sports sous-marins*, Océans
— *Hippocampus,*Bulletin d'information de la Ligue Francophone de Recherches et d'Activités sous-marines affiliée à la Fédération Belge de Recherches et d'Activités sous-marines (membre fondateur de la C.M.A.S.).

TABLE

de Plongée à l'air

du Groupe d'Etudes

et de Recherches Sous-marine

de la Marine Nationale

jusqu'à 85 mètres

Profondeur	Durée de la plongée	Durée des paliers à		Durée tot. de la remontée	Coefficient C
		6 m	3 m		
15 mètres	10			1	1,1
	20			1	1,2
	30			1	1,2
	40			1	1,3
	50			1	1,4
	60			1	1,4
	1 h 30			1	1,6
	2 h			1	1,7
16 mètres	10			1	1,1
	20			1	1,2
	30			1	1,3
	40			1	1,3
	50			1	1,4
	60			1	1,5
	1 h 10			1	1,5
	1 h 20			1	1,6
	1 h 30			1	1,7
	1 h 40		1	2	1,7
	1 h 50		5	6	1,7
	2 h		10	11	1,8
18 mètres	10			1	1,1
	20			1	1,2
	30			1	1,3
	40			1	1,4
	50			1	1,5
	60			1	1,5
	1 h 15			1	1,6
	1 h 20		3	4	1,7
	1 h 30		6	7	1,7
	1 h 40		12	13	1,8
	1 h 50		17	18	1,8
	2 h		26	27	1,8
20 mètres	10			1	1,1
	20			1	1,2
	30			1	1,3
	40			1	1,4
	50			1	1,5
	60			1	1,6
	1 h 10		6	7	1,7
	1 h 20		10	11	1,7
	1 h 30		16	17	1,8

La vitesse de remontée ne doit pas dépasser
20 mètres minute.

Profondeur	Durée de la plongée	Durée des paliers à 6 m	3 m	Durée tot. de la remontée	Coefficient C
22 mètres	10			1	1,1
	20			1	1,2
	30			1	1,4
	40			1	1,5
	50			1	1,6
	55		2	3	1,6
	60		7	8	1,6
	1 h 10		12	13	1,7
	1 h 20		17	18	1,8
	1 h 30		31	32	1,8
24 mètres	10			2	1,1
	20			2	1,3
	30			2	1,4
	40			2	1,5
	45			2	1,6
	50		5	7	1,6
	55		9	11	1,6
	60		13	15	1,7
	1 h 10		22	24	1,7
	1 h 20		31	33	1,8
	1 h 30		45	47	1,8
25 mètres	10			2	1,2
	15			2	1,2
	20			2	1,3
	25			2	1,3
	30			2	1,4
	35			2	1,5
	40			2	1,5
	45		3	5	1,6
	50		8	10	1,6
	55		13	15	1,6
	60		15	17	1,7
	1 h 10		23	25	1,8
	1 h 20		35	37	1,8
	1 h 30		52	54	1,8
26 mètres	5			2	1,1
	10			2	1,2
	15			2	1,2
	20			2	1,3
	25			2	1,3
	30			2	1,4
	35			2	1,5
	40			2	1,6
	45		6	8	1,6
	50		11	13	1,6
	55		14	16	1,6
	60		18	20	1,7
	1 h 10		32	34	1,8
	1 h 20		42	44	1,8
	1 h 30		55	57	1,9

Profondeur	Durée de la plongée	Durée des paliers à		Durée tot. de la remontée	Coefficient C
		6 m	3 m		
28 mètres	5			2	1,1
	10			2	1,2
	15			2	1,3
	20			2	1,3
	25			2	1,4
	30			2	1,4
	35			2	1,5
	40		6	8	1,6
	45		11	13	1,6
	50		16	18	1,7
	55		20	22	1,7
	60		28	30	1,7
	1 h 10		43	45	1,8
	1 h 20	4	55	61	1,8
	1 h 30	7	64	73	1,9
30 mètres	5			2	1,1
	10			2	1,2
	15			2	1,3
	20			2	1,3
	25			2	1,4
	30			2	1,5
	35		3	5	1,5
	40		10	12	1,6
	45		16	18	1,7
	50		21	23	1,7
	55		27	29	1,7
	60		37	39	1,8
	1 h 05		42	44	1,8
	1 h 10	5	47	54	1,8
32 mètres	5			2	1,1
	10			2	1,2
	15			2	1,3
	20			2	1,3
	25			2	1,4
	30			2	1,5
	35		7	9	1,6
	40		15	17	1,6
	45		21	23	1,7
	50		26	28	1,7
	55		36	38	1,8
	60		46	48	1,8
	1 h 05	7	50	59	1,8
	1 h 10	9	55	66	1,8
34 mètres	5			2	1,1
	10			2	1,2
	15			2	1,3
	20			2	1,4
	25			2	1,4
	30		4	6	1,5
	35		12	14	1,6
	40		19	21	1,7

Profondeur	Durée de la plongée	Durée des paliers à			Durée tot. de la remontée	Coefficient C
		9 m	6 m	3 m		
34 mètres	45			26	28	1,7
	50			34	36	1,8
	55		2	42	46	1,8
	60		7	50	59	1,8
35 mètres	5				2	1,1
	10				2	1,2
	15				2	1,3
	20				2	1,4
	25				2	1,5
	30			6	8	1,5
	35			14	16	1,6
	40			22	24	1,7
	45			28	30	1,7
	50			39	41	1,8
	55		6	45	53	1,8
	60		9	53	64	1,8
36 mètres	5				2	1,1
	10				2	1,2
	15				2	1,3
	20				2	1,4
	25				2	1,5
	30			8	10	1,6
	35			16	18	1,6
	40			23	25	1,7
	45			30	32	1,7
	50		4	38	44	1,8
	55		7	46	55	1,8
	60		11	55	68	1,8
38 mètres	5				2	1,1
	10				2	1,2
	15				2	1,3
	20				2	1,4
	25			2	4	1,5
	30			12	10	1,6
	35			20	22	1,6
	40			27	29	1,7
	45			37	39	1,8
	50		8	45	55	1,8
	55		11	52	65	1,8
	60		17	56	75	1,8
40 mètres	5				3	1,2
	10				3	1,3
	15			2	5	1,4
	20			4	7	1,5
	25			8	11	1,6
	30		2	15	20	1,6
	35		2	25	30	1,7
	40		3	34	40	1,8
	50	2	18	40	63	1,8
	60	8	24	54	89	1,9

Profondeur	Durée de la plongée	Durée des paliers à			Durée tot. de la remontée	Coefficient C
		9 m	6 m	3 m		
42 mètres	5				3	1,2
	10				3	1,3
	15			4	7	1,4
	20			6	9	1,5
	25		3	18	24	1,6
	30		5	24	32	1,7
	35		11	34	46	1,7
	40		15	41	59	1,8
45 mètres	5				3	1,2
	10			2	5	1,3
	15			4	7	1,4
	20		2	8	13	1,5
	25		3	21	27	1,6
	30		9	29	41	1,7
	35		14	39	56	1,8
	40	2	17	46	68	1,8
48 mètres	5				3	1,2
	10			3	6	1,3
	15			5	8	1,4
	20		3	17	23	1,6
	25		5	23	31	1,7
	30	1	12	34	50	1,7
	35	2	17	42	64	1,8
	40	6	17	50	76	1,8
50 mètres	5				3	1,2
	10			3	6	1,3
	15		2	4	9	1,5
	20		4	18	25	1,6
	25	1	7	26	37	1,7
	30	2	13	37	55	1,7
	35	3	18	45	69	1,8
	40	8	18	52	81	1,9
52 mètres	5				3	1,2
	10			4	7	1,3
	15		2	6	11	1,5
	20	1	4	20	28	1,6
	25	2	9	29	43	1,7
	30	2	15	40	60	1,8
	35	6	17	48	74	1,8
	40	11	19	54	87	1,9
55 mètres	5				4	1,2
	10			4	8	1,4
	15		3	8	15	1,5
	20	2	3	23	32	1,6
	25	3	11	33	51	1,7
	30	3	18	43	68	1,8
	35	9	18	51	82	1,9
	40	14	23	54	95	1,9

Profondeur	Durée de la plongée	Durée des paliers à				Durée tot. de la remontée	Coefficient C
		12 m	9 m	6 m	3 m		
58 mètres	5					4	1,2
	10			1	4	9	1,4
	15			4	10	18	1,5
	20		2	6	23	35	1,7
	25		3	14	36	57	1,7
	30		7	17	47	75	1,8
	35	1	12	18	54	89	1,9
	40	3	15	27	54	103	1,9
60 mètres	5				1	5	1,2
	10			1	5	10	1,4
	15		1	4	10	19	1,5
	20		3	7	26	40	1,7
	25		3	16	39	62	1,8
	30	1	8	18	48	79	1,8
	35	2	13	21	54	94	1,9
	40	6	14	30	54	108	2,0
62 mètres	5				3	7	1,3
	10			2	5	11	1,5
	15		2	3	15	24	1,6
	20		3	9	28	44	1,7
	25	1	3	17	41	66	1,8
	30	2	9	18	51	84	1,8
65 mètres	5				4	8	1,3
	10			3	5	12	1,5
	15		3	3	20	30	1,6
	20	1	3	11	32	51	1,7
	25	2	5	17	44	72	1,8
	30	2	12	18	53	89	1,9
68 mètres	5				4	8	1,3
	10			4	5	13	1,5
	15		3	3	22	32	1,6
	20	2	2	14	35	57	1,7
	25	2	7	18	47	78	1,8
	30	3	14	21	54	96	1,9
70 mètres	5				5	10	1,3
	10		1	4	4	14	1,5
	15		3	4	23	35	1,6
	20	2	3	15	37	62	1,7
	25	3	8	18	49	83	1,8
	30	4	14	24	54	101	1,9

Profondeur	Durée de la plongée	21m	18m	15 m	12 m	9 m	6 m	3 m	Durée tot. de la remontée	Coefficient C
72 mètres	5							5	10	1,4
	10					1	4	6	18	1,6
	15				1	3	5	23	37	1,7
	20				2	3	16	39	65	1,8
	25				3	10	18	51	87	1,8
	30			1	5	15	25	54	105	1,9
75 mètres	5						1	4	10	1,4
	10					2	3	7	17	1,6
	15				2	2	8	28	43	1,7
	20				3	3	18	41	70	1,8
	25			1	3	12	17	54	92	1,9
	30			2	7	14	29	54	111	1,9
78 mètres	5						1	4	10	1,4
	10					3	3	10	21	1,5
	15				2	3	9	29	49	1,7
	20				2	6	17	45	76	1,8
	25			1	2	14	21	53	97	1,9
	30			2	9	15	32	53	116	2,0
80 mètres	5						2	4	11	1,4
	10					3	3	12	23	1,6
	15				2	3	11	31	52	1,7
	20				3	7	17	47	80	1,8
	30		2	5	18	24	32	60	146	2,0
85 mètres	5						3	4	12	1,4
	10				1	3	3	19	31	1,6
	15				3	3	14	35	60	1,7
	20			2	2	10	18	50	87	1,8
	30	1	6	12	12	24	36	69	165	2,0

VINGT CONSEILS
POUR VOTRE SÉCURITÉ

Si vous voulez plonger, voici vingt situations qu'il faut éviter, parce qu'elles peuvent vous mettre directement en danger :

1 — plonger seul,
2 — plonger avec une réserve d'air insuffisante,
3 — plonger avec du vieil air,
4 — plonger en étant malade,
5 — plonger en état de fatigue,
6 — plonger avec un matériel défectueux,
7 — plonger en ayant abusé des sorties ou alcools (même la veille),
8 — dépasser les limites admises,
9 — pratiquer le valsalva à la remontée,
10 — remonter à une vitesse trop grande,
11 — sauter ou diminuer un temps de palier,
12 — forcer si l'on ressent une quelconque douleur,
13 — faire des efforts violents sans nécessité,
14 — manipuler inconsidérément des explosifs (obus, mines, etc.),
15 — pénétrer dans un tunnel ou une épave sans lampe,
16 — prendre des risques inutiles,
17 — réimmerger un plongeur atteint de surpression pulmonaire,
18 — pratiquer de la plongée libre après une plongée en scaphandre,
19 — vouloir effectuer une plongée de nuit dans le bleu,
20 — prendre l'avion directement après une plongée.

VINGT CONSEILS
POUR VOUS AIDER

Si vous voulez plonger, voici vingt conseils qui peuvent vous aider ou aider un compagnon :

1 — vérifier la pression de la bouteille avant de plonger,
2 — avoir toujours des O'Ring en réserve
3 — toujours ouvrir le robinet de la bouteille à fond moins un tour,
4 — connaître le numéro d'appel des secours de l'endroit,
5 — connaître l'endroit du caisson multiplace le plus proche,
6 — connaître les prévisions météorologiques,
7 — vérifier tout son équipement,
8 — tenir compte du poids de l'air pour le lestage,
9 — connaître l'heure de sa première immersion,
10 — toujours prendre ses tables en plongée,
11 — noter l'heure d'émersion et son cœfficient,
12 — ne pas descendre plus bas que le chef de palanquée,
13 — s'assurer que tout le monde connaît les signaux de plongée,
14 — connaître le type de plongée à effectuer,
15 — rester en groupe en plongée,
16 — s'il y a du courant, palmer contre celui-ci en début de plongée,
17 — consulter fréquemment son profondimètre et sa montre,
18 — s'appliquer à prendre un rythme respiratoire adéquat,
19 — faire un briefing et un débriefing,
20 — se faire expliquer ou expliquer le fonctionnement de matériel inconnu.

Index

Table des matières

IMPRESSION : BUSSIÈRE S.A., SAINT-AMAND (CHER). — N° 1039.
D.L. MAI 1982/0099/110

ISBN 2-501-00239-3

Imprimé en France

marabout service

L'utile, le pratique, l'agréable

Sports, Loisirs, Jeux

marabout flash

Sports et jeux